할머니는 죽지 않는다

할머니는 죽지 않는다

공지영 소설

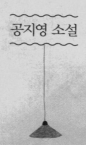

월춘 장구
(越春裝具)

나의 정원

　정원은 텅 비어 있었다. 새벽부터 일어나 써야 할 글에 대한 두통과 읽어야 할 책 몇 권 그리고 향기로운 커피를 보온병에 넣어가지고 달려간 나의 시골집 정원은 텅 비어 있었다. 천지에 붉고 노랗고 흰, 꽃이란 꽃들은 다 피어나고, 피어나다 못해 벚꽃 잎 진 자리엔 저도 꽃이라는 듯 삐쭉이며 연녹색 잎들 돋아난 길을 달려왔는데, 나의 정원에는 그 어떤 파릇한 것도 돋아나지 않고 그저 황량한 겨울만 가득 차 있었다. 해발 800미터에 위치해 있기 때문이리라, 생각해보았지만 마음은 몹시 서운했다. 세상처럼 다채롭지는 않아도 그래도 어느 정도, 그러니까 하다못해 진달래 개나리 정도는 피어 있을 거라 기대했었는데 언제나처럼 터무니없는 기대가 영락없이 배반당하는 걸 나는 느꼈다. 눈 부릅뜨고 둘러보아도 파릇한 기미 하나 없는 누런 정원 위로 찬바람이 부는데 나는 집 안으로 들어가지 못하고 그 풍경 앞에 서 있었다. 잠시 이 배반을 받아들일 시간이 좀 필요했던 것이다. 그러다가 혹시나 하는 생각에 짐을 마당에 놓고 뛰어가 꽃나무들을 들여다보았다. 벚나무에는 도톰한 꽃눈이 터질 듯 매달려 있고 홍매화 끝에도 배나무 가지 끝에도 이제 곧 꽃이 되어 터져 나올 빛깔들이 연갈색 까칠한 외피 속에 맺혀 있었다. 가지를 구부려보았더니 물이 잔뜩 올라 꺾어지지 않았다. 나도 모르게 휴우, 하고 안도의 숨을 내쉬었다. 죽지 않았으면 됐어, 죽지 않았으면 꽃 피울 수 있어, 나는 혼자 중얼거렸다.

나는 집 안으로 들어가 오랜만에 청소기를 돌렸다. 집으로 침입한 노린재들이 말라죽어 까맣게 널브러져 있었다. 지난 겨울 동안 가끔씩 여기 들러 죽은 노린재들을 비로 쓸어내었는데 대체 어느 틈으로 이렇게나 많이 또 들어온 것인지, 창문마다 테이프로 틈을 봉쇄하고 약을 뿌려댔지만 노린재들은 끝도 없이 들어와 빈집 창틀 가에 새까맣게 죽어 있곤 했다. 이것들은 어떻게 이 안에 들어왔을까, 테이프로 봉해진 창문 틈이나 집 안의 작은 틈새로 들어오기 위해 이것들은 얼마나 애를 썼을까, 하는 생각이 들었다. 나는 진공청소기로 벌레들을 빨아들였다. 노린재가 풍기는 고약한 냄새가 집 안을 가득 채웠다. 아무리 막아도 아무리 싫어도 줄을 서 있었다는 듯 내 맘속으로 들어서는 고통들처럼 집 안으로 들어선 노린재는 고약한 노린내를 풍기며 청소기 속으로 사라지고 있었다. 죽어 있는 것은 노린재뿐은 아니었다. 몇 마리이긴 하지만 거미도 죽어 있고 가끔씩 배를 드러낸 무당벌레도 보였다. 잘못된 곳으로 도망치기에는 저들이나 나나 마찬가지일지도 모른다는 생각이 스쳤다. 이곳은 살자리가 아니었던 것이다. 살자리인 줄 알고 도망친 곳이 죽을 자리였고, 죽겠다고 도망친 곳이 때로는 살자리였다. 그러나 나는 오직 그 사실을 알 뿐, 그것의 법칙은 알지 못했다. 다만 살기 위해 죽을 자리로 도망치는 것이 아니라, 진심으로 죽을 각오로 뛰어들 때만이 그것이 아주 가끔 살자리가 된다는 것은 알고 있었다. 진정으로 죽을 각오로 도망칠 때는 죽을 확률이 거의 백 퍼센트이다. 그것은 목숨을 거는 일…… 내게는 이제 목숨을 더 걸 여력도 없어서, 생이 늘 살얼음판을 걷는 듯 버거웠다. 가끔씩 기도 중에 나는 신에게 강경한 어조로 말해왔던 것이다. 더 이상은 싫어요, 더 이상은 못해요, 더 이상 내게 나쁘게 하시면 안 돼요, 당신은 정말 내게 그러면 안 돼요.

청소를 마치고 싸가지고 온 커피를 따라 마셨다. 누런 정원은 아직도 겨울이었다. 그 안에서 나무들이 수액을 빨아올려 이제 곧 피어날 어떤 꽃잎을 만들고 있겠고 또 그렇게 믿고 싶지만 봄은 멀어 보였다. 나는 봄에서 겨울로, 계절을 거슬러 들어서버린 것만 같은 기분이었다. 온 세상이 봄인데 나 혼자 여기 겨울 한복판에 앉아 있는 듯 실망스러웠고 약간은 망연했다.

지난겨울 사람의 온기 없이 혼자 겨울을 견뎌낸 이 산골집에는 여기저기 웅덩이처럼 한기가 고여 있었다. 한 걸음 내딜을 때마다 물구덩이에 빠진 것처럼 추웠다. 보일러를 한껏 올려놓고 옷장에서 두터운 겨울 스웨터를 꺼내 걸쳤다. 걸레를 빨다 말고 「키다리 아저씨」를 쓴 오스카 와일드를 생각했다. 키다리 아저씨네 정원에만 꽃이 피지 않았던 것은 거기가 고도가 높아서였을지도 모른다는 생각을 처음 했다. 우리 집을 지나쳐 가던 어떤 여행객이 나중에, 사랑이 없는 저 집 주인 여자 때문에 꽃이 피지 않았다고 쓴다면 어떻게 하지, 하는 터무니없는 생각도 스쳤다. 오스카 와일드. 들고 다니며 여러 번 읽었던 그의 『옥중기』의 구절들이 떠올라왔다. 책의 첫 장은 이렇게 시작되고 있었다.

……고통은 매우 긴 하나의 시간이다.

동성애 혐의로 2년 형을 선고받고 런던 감옥에 갇힌 그. 지금으로 치면 아홉 시 뉴스 첫 장면에 그의 투옥 기사가 방송된 것과 맞먹을 만큼 그 사건은 런던을 뒤흔들어놓았다고 했다. 당연히 그의 글에는 모욕감과 고통과 탄식, 그리고 슬픔이 넘쳐나고 있었다. 그처럼 빠른 모터를 유전자 속에 달고 태어나 모든 세상을 기웃거리는 분주과(科)의 인간들은 가끔 강제로 멈추어 설 때 어쩔 수 없이 축복받는다. 그 모터의 힘이 자기 주변으로 퍼지는 대신 밑으로 깊숙이 파고들기 때문이다. 그리하여 힘찬 그 모터는 자신의 본성과 그 밑에 있는 인간의 심연을 발견해낸다. 인류의 지성사에 값진 빛을 더해준 대작들 중 많은 것이 옥에서나 유배지에서나 수배 중에 이루어진 것은 그러므로 우연이 아닐 것이다.

나는 지난 2년간 이 시골집에서 거의 칩거하듯이 지냈다. 저잣거리로 나가기 전, 그런 칩거가 꼭 필요하다고 계산한 것은 아니지만 과음한 다음 날 맑고 찬 물이 필요했듯이 아마도 내게는 이 산골에서의 칩거가 필요했을 것이다. 그리고 그것은 자연스러운 일이었을 것이다. 고독과 정적 그리고 오염되지 않은 바람과 투명한 햇살, 아이들의 웃음소리…… 그런 것들 곁에서 나는 집으로 돌아온 탕자처럼 실컷 신열을 내며 앓았다. 안도감을 느끼며 앓는 것은 실은 얼마간의 쾌락에 가깝다는 것을 깨달은 것도 그때였다. 나는 비 오듯 흐르는 땀 속에서 내가 가질 수 있는 것과 내가 가질 수 없는 것들을 구분하는 법을 받아들여야 했다. 그리고 두툼한 수건으로 땀을 닦아내면서 의아해하곤 했다. 왜 이 땀은 녹즙같이 푸른빛이 아닐까, 하고.

　가끔씩 친구들이 나를 찾아 이곳으로 달려왔다. 그러면 나는 그들이 도착하기 전 삼십 분쯤 걸리는 평창에 나가 장을 보았다. 비료를 주지 않아서 크루아상처럼 구부러진 작은 오이와 아이 머리통같이 맑은 연녹색 애호박, 들깻잎을 사고자 해서였다. 시장 입구에는 오이처럼 등이 구부러진 노파들이 나란히 앉아 있었다. 물건만 눈여겨보던 내가 주인의 자리가 빈 줄도 모르고 이거 모두 얼마예요? 물으면, 제가 앉은 자리에도 똑같이 구부러진 오이와 소년의 고추처럼 작은 가지 몇 개를 놓고 있는 다른 노파가 내게 말했다.

"그건 내 거 아닌데……."

"그럼 주인은요?"

"응 어디 갔어…… 좀 있다 올 텐데."

"언제요?"

"곧…… 곧 오겠지. 물건이 여기 있응까…… 오기야 할 거야."

누가 그런 걸 모른다는 말일까, 하지만 아무리 기다려도—한 삼 분쯤 흘렀겠지—주인은 오지 않았다.

"그럼 그냥 할머니 걸로 주세요."

도시에서 살다 온 습이 아직도 남아 있어 마음이 바쁜 내가 말하면 얼굴이 쭈글쭈글하고 키가 내 반밖에 안 되는 노파가 정색을 한 얼굴로 천천히 말하곤 했다.

"안 되지 그럼, 남의 걸 먼저 사려고 한 건데…… 염치란 게 있는 건데……."

나는 하는 수 없이 그 염치 있는 노파와 그 염치가 있는 노파의 곁에서 잠깐 자리를 비운 노파의 것까지 다 샀다. 다 해봐야 이만 원도 안 되는 가격이었다. 요리를 하고 남은 것은 서울로 돌아가는 친구들에게 좀 싸주면 될 일이었다. 염치

있는 노파는 좀 기다리면 되는데, 괜히 내가 미안하네, 하면
서 윤기나는 고추 몇 줌을 덤으로 더 쥐어주는 것도 잊지 않
았다.

"할머니, 그만 주세요. 이거 다 팔아야 얼마 된다고."

"그래도…… 내가 주고 싶으니깐 주는 거지, 고마와서……
된장찌개에 넣어 먹어봐요, 맛있어."

그렇게 돌아오는 길이면 〈강원도의 힘〉이란 영화의 제목을
생각하곤 했다. 시골 성당을 지나치며, 꼭 오늘은 저기 안 가
도 되겠다, 라고 생각해보기도 했다. 돌아가면 메일이 도착해
있겠지만, 소송을 하겠다고, 이래서 하고 저래서 하고, 좌시
하지 않겠다고, 결국은 내게서 돈을 가져가고 나를 괴롭히고
나를 망신 주겠다는…… 결론은 난 지 오래였다……. 그는
내가 무엇을 두려워하는지 알고 있었다. 나는 그가 원하는
것이 무엇인지 영영 모른 채로 살았다. 그러니 거래는 좀처
럼 끝나지 않았다. 그런 날이면 그의 메일을 받아도 여느 때
처럼 피가 거꾸로 솟는다는 게 꼭 이런 말이구나, 하는 생각
으로 내 몸을 퉁퉁 붓게 만드는 짓을 하지 않을 것만 같았다.
나는 장바구니 안에서 노파가 판 크루아상같이 굽은 오이를
꺼내 베어 물었다. 그러면 오직 오이의 것이라고밖에 말할 수

없는 향기가 입 안으로 와삭, 퍼져나갔다.

에픽테토스

2층 서재에는 내가 2년 가까운 칩거 동안 꺼내 보던 책들이 주르르 꽂혀 있었다. 에픽테토스, 안젤름 그륀, 오스카 와일드 그리고 릴케. 나는 에픽테토스의 책을 꺼내 들었다. 밑줄이 여러 개 그어져 있다. 빨간 색연필로도 긋고 파란 색연필 자국도 있다. 느낌표도 있고 당구장 같은 표시도 있다. 눈물 자국인지 녹차 방울인지 모를 자국도 있었다. 그것들은 종이 위에 상흔으로 남아 있었다. 덕택에 종이는 그 본질의 평평함을 잃고 쭈그러져 있었다. 화상의 흔적 같았다. 혹은 내 팔뚝에 남아 있는 동그란 폭력의 흔적들 같기도 했다. 자신의 본질과 이질적인 것은 상흔을 남긴다. 그리고 그 상흔으로 인해, 그 이질적인 것을 받아들여야만 했던 아픔의 힘으로 우리는 생의 모퉁이를 돌기도 한다. 그것이 좋은 곳으로 가는 길인지 아닌지는 나는 아직도 모른다. 블라인드 포인트, 라고 산에 오르던 친구는 말했다. 모퉁이를 돌면 그곳에 무슨 죽음과 무슨 삶이 펼쳐져 있을지 모르는 험악한 등정에서 산악인들은 언제나 그 블라인드 포인트를 돌아야 한다고. 그리고 초보자들에게 그것은 대개 죽음보다 더한 공포와 고통을 준다고. 거기서 주저앉는 사람이 참 많이도 있다고, 그러나 그 공포를 이겨낸 자에게만 산은 그 정상을 허락한다고.

에픽테토스, 그리스의 절름발이 철학자. 스토아학파의 거두…… 그가 주인에게 맞아 절름발이가 되었다는 설도 있고 아니면 그냥 처음부터 불구였다는 설도 있다. 어쨌든 그는 절름발이에 노예였다. 그런 그가 로마로 가서 당대의 최고 학파인 스토아학파의 거두가 되기까지 얼마나 많은 일들이 일어났을까, 그리고 그것은 그를 얼마나 많이 성숙하게 만들었을까, 생각해본다. 에픽테토스에게서 영향받은 안젤름 그륀의 책 『너 자신을 아프게 하지 말라』라는 책의 한 구절은 그 무렵 불현듯 내 인생을 바꾸어놓았다.

나는 감히 그렇게, 말할 수 있다.

우리는 언제나 자신을 비난하는 심술궂은 사람들을 배심원석에 앉혀놓고 늘 피고석에 앉아 자신의 행위가 무죄라는 변명을 끝없이 늘어놓고 싶은 강박을 가지고 있다.

나는 아직도 그날을 기억한다. 그날, 그리 가깝지 않은 편집자 둘이 나를 방문했었다. 정원에 놓인 탁자에 앉아 시장에서 사온 향기로운 오이와 호박, 그리고 풋고추를 고추장에 찍어 먹으며 나는 좀 취했던 거 같다.

"말이죠. 저는 이제 피고석을 떠나겠어요. 오늘부터 내 배심원들 다 해고예요!"

편집자 둘은 내 말이 무슨 뜻인지 다 알지는 못하는 것 같았지만 나를 이해하려고 애쓰고 있었다. 왜냐하면 내가 그 말 이후에 이제 글을 쓸 수 있을 거 같아요, 라고 말했기 때문이리라. 끝이 좋으면 대개는 좋은 것이다. 다 이해할 수도 없으니까 다 이해하려고 할 필요는 없다. 다 이해하지 못한다고 해서 사랑하지 않는다는 것은 아니니까. 이제 글을 쓰겠다고 했으니 그것으로 좋은 것이었다. 설사 내가 해고한 그 배심원이 그들 자신들일지도 모르지만 말이다.

나는 책장을 더 넘겨보았다. 동방의 성자 요한 크리소스토모의 말에 밑줄이 세 개나 그어져 있다.

너 자신 외에 너에게 상처 입힐 사람은 아무도 없다.

나는 2년 전 내가 그러했듯 급하게 에픽테토스의 책을 펼쳐 들었다. 하도 읽어서 그 페이지가 금방 드러났다.

우리를 괴롭히는 것은 우리에게 일어난 어떤 일이 아니라, 그것에 대해 우리가 가지는 표상(表象)이다.

그해 여름과 가을 겨울이 지나는 동안 안젤름 그륀과 요한 크리소스토모와 에픽테토스는 그들의 의지와는 전혀 상관 없이 나를 치료해가고 있었다.

이 순간을 소중히 여기십시오. 이 순간의 특수한 상황에 몰두하십시오. 이 사람에게, 이 도전에, 이 행동에 반응하십시오. 회피하지 마십시오. 이제 진정으로 살아야 할 때입니다. 당신이 지금 놓인 상황을 온전히 살아가십시오. 방문이 닫히고 방이 어둡다고 해도 당신은 혼자가 아닙니다. 자연의 의지는 당신 안에 있습니다. 당신에게 끈덕지게 이야기하는 소리에 귀를 기울이십시오. 삶의 기술에서 재료는 당신 자신의 삶입니다. 위대한 것은 갑자기 창조되지 않습니다. 시간이 걸립니다. 최선을 다하십시오. 늘 친절하십시오.

나는 조금씩 따뜻해져가는 집 안에 앉아 다시 한 번 그 책을 열중해서 읽었다. 에픽테토스, 획득한, 이라는 뜻의 이름. 나는 아마도 그날부터 내가 본래의 나를 찾아내고, 그것을 다시 획득할 수 있다는 희망을 가졌을 것이다. 세상의 분주한 일상에서 오래전에 은퇴했으나 시골집에서 날 기다리던 맘 좋은 삼촌처럼 에픽테토스는 죽어서도 그렇게 나를 다시 맞아주었다. 이럴 때 가끔 내게 삶이, 책이, 사람이 기적만 같다. 저 누런 정원, 영원히 겨울일 것 같은 저 정원에서 꽃 피어날 일을 그려보는 것도 기적인 것만 같다. 나는 창가로 다가갔다. 문득 유리창을 맑게 닦고 싶었다. 그게 오래 걸리더라도, 최선을 다해서 닦고 싶었다. 다시 비바람 치고 흙바람 불면 또 더러워질 걸 안다 해도, 아니까…….

섬진강

휴대폰으로 벨이 울리고 있었다. 발신자는 나의 오랜 친구 B였다. B는 우리들이 해마다 몇 차례씩 떠나는 꽃 기행의 일정을 짜는 모양이다. B는 여전히 사람 좋은 목소리로 잘 지내고 별일 없고, 묻더니 어느 주말이 좋은지 물었다. 나는 원고에 대한 엄살을 좀 피울까 하다가 말았다. 그 역시 원고에 밀리고 있는 사람, 그러나 그가 내게 한 번도 그 엄살을 피워 본 적이 없다는 생각이 떠올랐기 때문이다. 나는 간단히 대답하고 전화를 끊었다.

작년 봄 처음 떠났던 섬진강 여행이 떠올랐다. 차 안에 탄 우리는 우연히도 남자 둘 여자 둘, 원래 꽃 기행의 멤버는 더 있는데 그날의 멤버는 그렇게 짜였다. 우리는 묻지마 관광이라도 떠나는 불륜의 남녀들 같다는 농담을 해대며 달리고 있었다. 여자 친구 S가 말을 꺼냈다.

"얘들아, 너희들이 있어서 난 참 좋아. 애인은 헤어지면 그만이고 남편도 돌아서면 남남이라는데. 너희들하고 이렇게 여행 떠날 수 있는 사십 대가 되어서 참 좋아. 너희들이 너무 고마워…… 우리 늙어서도 이렇게 좋은 친구 하자."

여러부운, 휴지는 어디에 버려야 하는 거죠, 말하는 유치원 선생님처럼 바른 목소리로 말하는 S의 목소리가 차 안을 울렸다. 남자 친구들인 B와 C는 말이 없는데 내가 거들었다.

"맞아…… 너희들은 너무 소중해. 정말 소중한 존재들이야."

22

내가 휴지는 휴지통에 버려야 돼요, 하는 것 같은 유치원생의 목소리로 대답했다.

뜻밖에도 B와 C는 입을 열지 않았다. 우리가 무슨 말이라도 하라고 다그치자 운전을 하던 C가 입을 열었다.

"니네들 쓸데없는 소리 하지 말고 입 좀 다물고 있을래?"

S와 나는 우리가 얼마나 그들을 소중하게 생각하고 있는지 계속해서 설명해댔다.

"우리가 말이야, 한순간이라도 남자와 여자로서 사귀었다고 해봐. 이렇게 여행을 다닐 수 있겠니? 우리가 말이야 어떤 때는 술 마시고 한방에서도 자도 이렇게 자연스러울 수가 있겠느냐고. 그러니 얼마나 고마워."

"그래 그랬다면 다시는 이렇게 좋은 기분으로 여행도 못 갔을 거야. 만일 우리들끼리 무슨 일이라도 있는 사이였다면."

마지막 말을 가로지르며 B가 불쑥 말했다.

"여행 안 떠나면 어때?"

S와 나는 서로를 의아하게 마주 보았다. 우리의 고마운 기분을 왜 이해 못하는지 이해할 수가 없었던 것이다.

섬진강변에는 우리가 기대했던 산수유는 면봉만큼 겨우

얼굴을 내밀고 있었고 대신 매화가 흐드러지고 있었다. 언제나처럼 기대는 배반당했다. 그러나 그것이 꼭 나쁜 것일까, 나는 그 후로도 오랫동안 생각하곤 했다. 사진을 찍기 위해 면봉만큼 고개를 내민 산수유를, 그래도 그것이 산수유라고 찍고 있던 B가 말했다.

"작가 김훈이 말했어. 산수유는 봄이 꾸는 꿈이래. 봄이 꾸는 꿈…… 꽃이 아니라 꿈인 거지. 봄이 꾸는 꿈."

꿈은 이제 막 돋아나고 있을 뿐이어서 저무는 섬진강변은 매화 향기 차지였다. 저녁이 내리자 매화 향기는 강변에서 부는 바람에 실려 사분의 삼박자로 오르기 시작했다. 쿵짜자, 쿵짜짜…… 나는 난데없이 왈츠라도 추고 싶었고 혼자서 가볍게 몸을 흔들었다. 내 오래된 친구들은 방금 반주로 마신 술의 여운이라고 생각했는지, 그도 아니면 이제 내가 회복한다고 믿었는지 내 호들갑에 너그러운 침묵으로 응수하고 있었다. 봄바람에 실려 떠오르는 사분의 삼박자 매화 향기가 오래 잠들었던 내 안의 어떤 것을 깨어나게 하고 있었다. 약간 코끝이 맵기도 했다. 생의 어떤 시기이든 봄은 오게 마련이고 그렇게 봄이 오면 다시 아름다울 수 있다는 생각이 났다. 정말일까, 하는 생각도 뒤따라 왔지만 오래 생각하고 싶지 않았다. 그게 아니면 또 다른 계절을 살면 되는 것이니까.

　우리는 지리산에 기거하는 시인의 집으로 가서 소주잔에 매화 한 봉오리씩 띄워 마셨다. 어린 매화 봉오리는 희고 투명한 소주잔 안에서 손가락을 펴듯이 피어났다. 저녁이 내리고 나서도 하늘은 아직도 짙푸르고 대기는 온화했다. 시인에게 내가 물었다.

　"형, 우리가 말이야…… 오는 길에 B하고 C에게 소중하다는 이야기를 했거든. 근데 저 애들이 되게 싫어하네."

　자초지종을 듣던 시인은 우리 여자들에게 몸을 기울여 말했다.

　"쟤들이 여자가 뭔지 남자가 뭔지 아직 몰라서 그래. 나는 그 마음 알지. 나도 니들에게 여자라는 걸 느꼈다면 우리 집에 오라고 하겠니? 그러니까 너희 둘도 나에겐 참 소중해."

　S와 나는 누가 뭐랄 것도 없이 서로를 마주 보았다. 그러곤 말했다.

　"소중한 존재…… 막상 우리가 그게 되고 나니까 그거 되게 기분 나쁘다, 응?"

　B와 C가 우리를 보며 키득키득 웃었다. 봄밤이었다.

공평하지 않다

정원 위로 펼쳐진 하늘엔 구름이 잔뜩 끼어 있었다. 겨울같이 춥고 음산했다. 점심을 좀 챙겨 먹어야겠다고 생각하고 냉장고를 뒤져 된장과 아직도 껍질이 말간 양파와 감자를 꺼냈다. 쌀을 불리고 나서 잠깐 식탁 의자에 앉는데 다시 전화벨이 울렸다. 집이었다. 10년째 아이들을 보아주시는 아주머니의 목소리는 다급했다.

"막내가, 아파서 병원에 왔는데 아이를 입원시키래요……. 폐렴으로 번질 것 같다는데, 어떻게 하지?"

옆에서 아이 우는 소리가 들려왔다. 아이는 이제 좀 컸다고 떼를 쓰는 대신 구슬프게 울었다. 아이를 바꾸어달라고 하자 아이의 힘없는 목소리가 들려왔다.

"어, 엄마…… 엄마."

언제나 나를 속수무책으로 만드는 이 부름. 언제나 나를 힘겹게 하고 나를 무겁게 하고 나로 하여금 단정히 앉아 글을 쓰게 하는 그 부름. 머릿속으로 오늘따라 며칠 동안 아무도 없는 데서 조용히 글만 써보겠다고 버스를 타고 내려온 결심이 와르르 무너지는 소리가 들려왔다. 여기서 서울로 떠나는 버스의 시간표도 빠르게 머릿속을 지나갔다. 하지만 몸은 여기 머물고 싶어했다. 오랜만에 호젓하게 글을 쓰고 새소리도 들어보고 바람 소리에 귀를 기울여가며 혼자 있고 싶었다. 왜 막내는 맨날 아플까? 짜증도 지나갔다. 입원은 무슨 입원? 우리 동네 소아과 의사의 얼굴도 호들갑스럽다는 채색을 통해 바라보고 싶었다. 하필이면 왜 내가 집에 있던 그 많은 날들 말고 오늘이냐고, 그것도 차도 가지지 않고 버스를 타고, 힘겨운 결심 끝에 내려온 오늘이냐고, 누군가에게 묻고 싶었다. 그러나 오래도록 엄격한 뇌의 통제를 받아온 내 입술은 지금 곧 가겠다고, 큰 병원으로 가 있으라고, 필요하다면 당장 입원 수속을 밟으라고 말하고 있었다.

나는 옆집 아저씨에게 전화를 걸었다. 지역 택시를 부를 수 있겠느냐고, 부를 수 있으면 좀 불러주십사 부탁을 했다. 여기서 원주 터미널까지 택시를 타고 나가서 거기서 서울행 버스를 탄 다음 다시 택시를 타고 신도시의 집으로 가면 될 것이었다. 그래봤자 서너 시간 더 걸리겠지만 그래도 그렇게 가면 될 것이었다. 갑자기 된장도, 붇고 있는 쌀도 책도 노트북도 다 버거웠다. 황급히 그것들을 냉장고에 집어넣고 있는데 옆집 아저씨가 문을 두드렸다. 이 지역 택시가 지금 다 호

출되어 나가고 없다는 것이었다. 나는 그냥 대충 짐을 싸서 버스 정류장을 향해 걷기 시작했다. 어쩌면 운이 좋아서 한 삼십 분쯤 기다려 버스를 탈 수 있을지도 모른다는 희망에 매달리기로 한 것이었다. 그런데 마침 그 순간 하필이면 언덕길 아래로 한 시간에 한 번씩 가는 버스가 횡 하니 지나가는 것이 보였다. 다리의 힘이 탁, 하고 빠져나갔다. 나는 내 인생 이렇지, 하고 생각하지 않기 위해 입을 꾹 다물고 이를 물었다.

"괜찮아요. 그냥 가볼게요. 잘하면 지나가는 차를 얻어 탈 수도 있겠죠."

아이가 아프다는 말에 망연히 날 바라보는 옆집 아저씨에게 나는 말했다. 그럴 때 나는 모성으로 충만해 결사적인 여전사같이 보였을지도 모른다. 내가 간다고 아이가 낫는 것도 아니지만, 천사처럼 횡 하니 날아올라 집에 도착할 수 있는 것도 아니지만 그래도 멈추어 있을 수는 없었다. 어디를 향해서든 조금씩이라도, 그것이 바보 같은 짓이라도 서울 쪽을 향해, 아이 쪽을 향해 움직이고 있는 것만이 내가 견딜 수 있는 유일한 길인 것이다. 괜찮아, 도착할 수 있어, 조금 늦어도 도착할 수 있다구…… 터덜거리며 걷고 있는데 뒤에서 난데없는 클랙슨 소리가 들려왔다. 옆집 아저씨의 금색 코란도가 내 옆에 섰다.

"봅시다…… 잘하면 다음 버스 정류장에서 버스를 따라잡을 수도 있으니."

나는 염치 불구하고 올라탔다. 실은, 참 고마웠다.

그는 속도를 위반해가며 구불구불거리는 강원도 시골 국도를 달렸다. 정말 잘하면 다음 정류장에서 아까 떠난 그 버스를 탈 수 있을 것 같은 희망이 내 맘속에서 떠올랐다. 터널을 지나 모퉁이를 돌자 마침 저 앞에 내가 타고자 하는 버스가 가고 있는 게 보였다. 이제 나는 시간에 잘 맞춰 최대한 빨리 서울로 갈 수 있을 것이었다. 아주머니가 돈도 없을 게 뻔한데, 열에 들뜬 아이를 응급실에서 내치는 악덕 병원업자의 얼굴이 상상되어왔다. 오들거리고 떨며 그 곁에서 우는 아이의 얼굴도 그려졌다. 마음이 다급해지고 있었다. 그런데 난데없이 경찰차 한 대가 우리 뒤를 따르고 있는 것이 사이드 미러로 보였다. 옆집 아저씨도 그것을 본 모양이었다. 망설이던 그의 발이 액셀러레이터에서 떨어지자 속도계는 규정 속도 60킬로미터로 급격히 낮아지고 있었다. 곧 따라잡을 수 있을 것 같던 버스는 모퉁이를 돌아 사라지고 말았다.

"따라잡을 수 있는데 하필이면 이런 때……."

그의 마음이 나보다 더 급한 모양이었다. 경찰차는 계속 규정 속도로 우리를 따라오고 있었다. 두 손을 모았지만 기도도 나오지 않았다. 나도 모르게 나는 말하고 있었다.

"그냥 두세요. 무리하지 마세요…… 뭔가…… 다른 길이 있겠죠. 그래요, 뭔가."

나는 다시, 내게만 부당했다고 생각했던 삶을 생각하고야 말았다. 그래도 기를 쓰고 다시 일어났던 나의 끈질긴 오기도 바닥난 지 오래였다. 나는 비록 부질은 없었지만 오래도록 외워왔던 주문을 생각했다. 늦는다고 못 가는 건 아냐, 그래 못 가는 게 아니면 되잖아. 가면 되는 거야, 그게 언제든 그게 언제든…….

막내가 왜 자꾸 아플까? 내가 너무 늦은 나이에 낳아서 그런가? 주문을 외우다 말고 난데없이 그런 생각이 들었다. 기침이 좀 심하던 어젯밤에 엄마, 엄마 하고 자꾸 내 옷자락 속으로 파고들던 아이 얼굴이 떠올랐다. 책을 읽다가 이불을 여며주면서, 괜찮아 코 자면 나아, 코 자고 나면 나을 거야. 무책임하게 말하던 내 성의 없음도 함께 떠올랐다. 막내가 중한 병에 걸렸으면 어떻게 하지…… 이성으로 제어할 수 없는 모든 불길함이 머릿속을 휘젓더니 드디어 내 머릿속에서 막내가 늦게 도착한 엄마를 보지 못하고 눈을 감는 장면이 떠올라왔다. 어이없다는 것을 머릿속으로 충분히 안다 해도, 눈물은 쏟아지고 말았다. 다른 건 몰라도 그런 일만은 극복해 낼 수 없다는 확신이 이제 신념으로 굳어져가고 있었다. 그런 일이 일어난다면 나는 신을 부정하고 세상도 부정하고 모두를 미워하면서, 그래도 하지 않으려고 버텼던 자살을 해버릴 것만 같다는 생각이 눈물을 따라 속수무책으로 따라 올라왔다. 그럼 나머지 두 아이는…… 하는 생각이 겨우 이성의 힘에 의지해서 내게 물었다. 그러면 두 아이 키워놓고 죽어야 하나? 겨우 폐렴으로 번지려 하는 아이의 감기를 두고 하는 생각이 터무니없다는 것을 알고 있다 해도 언제나 마음이 주인이었다. 이런 딜레마가 다시는 없을 것만 같았다……. 아저씨가 내 눈물을 보았는지, 미안한 얼굴을 하며 입맛을 다셨다. 그 사람이 미안해하는 게 미안해서 나는 얼른 눈물을 닦았다.

그런데 갑자기 차가 속도를 올렸다. 뒤따라오던 경찰차가 다른 길로 가버린 것이다. 야호! 하며 속도를 낸 코란도는 다음 정류장에서 아슬아슬 버스를 잡아챘고 나는 그 버스에 올라탔다. 고맙다는 인사도 못한 채였다. 생은 구불구불한 강원도 산길 같다는 생각이 언뜻 들었는데 버스는 이미 서울을 향해 달리고 있었다. 온 천지에 꽃이었다.

몇 시간 후 병원 응급실에 도착하자 아이가 링거를 꽂고 누워 있다가 나를 보며 방실방실 웃었다. 아주머니가 약간 겸연쩍은 얼굴로, 별일 아니래, 이거 다 맞고 집에 가서 약 먹이래, 했다. 나는 막내의 곁에 털썩 주저앉았다. 바늘이 꽂혀 있는 아이의 파리한 손을 잡으며 나는 공평하지 않은 세상에 감사했다. 하필이면 내게 그렇게 좋은 옆집 아저씨를 주시고 하필이면 경찰차를 다른 길로 접어들게 한, 하필이면 별일 아닌 감기를 주셔서 입원할 필요도 없게 한 것에…… 감사했다. 죽었던 아이가 살아온 듯 기뻤다. 나는 아이에게 업어줄까, 물었다. 아이의 입이 헤벌어졌다. 등으로 업혀 오는 아이의 무게가 며칠 사이 홀쩍 가벼워진 것을 느끼는 순간, 나는 마감이 코앞에 닥친 글을 한 자도 쓰지 못한 것을 깨닫고 말았다. 내 맘속에서 죽었다 살아온 아이의 무게가 다시금 견딜 수 없이 무겁게 느껴졌다.

소설

집으로 돌아오자 저녁이 내리고 있었다. 이건 도시의 저녁이었다. 도시의 저녁에는 진정한 어둠이 없다. 멀리 아파트에 불들이 하나 둘 켜지고 차들은 꽃구경이라도 나섰는지 고속도로 위에 길게 늘어서 있었다. 계절의 징후는 거기까지였다. 두고 온 텅 빈 정원 생각이 났다. 고달프다는 생각도, 나 힘들어, 하는 투정도, 힘이 있을 때의 일이라는 생각이 그 와중에도 들었다. 약을 먹고 잠든 아이 곁에 누워 그런 생각을 하고 있다가 나도 잠이 들어버리고 말았다. 꿈속에서 나는 지난 시절의 사람들을 만났다. 그들은 나를 억지로 어디론가 데리고 가려고 했다. 쓰레기 더미에 나를 묻어놓고 억지로 내 입 속에 쓰레기를 밀어넣고 있었다. 싫다고, 먹지 않겠다고, 너희와 함께 아무 데도 가지 않겠다고 꿈속에서 악을 쓰다가 깨어나니 달빛이 열려진 커튼 사이로 밀려들고 있었다. 나도 모르게 자리에 누워, 무서운 꿈도 잊고 홀린 듯 달을 바라다보았다. 시골집에 두고 온 책들과 설거지도 못 하고 탁자에 놓아 둔 커피잔이 떠올랐다. 정원에 은가루처럼 부서지고 있을 달빛도 그려졌다. 달빛 아래서 황량한 정원은 생기를 얻은 듯 빛나고 있을 터였다. 이런 일이 없었다면 나는 온 집의 불을 끄고 그 정원을 거닐고 있을 것이었다. 지난겨울 땅속에서 잠자고 있던 수선화 구근은 도톰하게 이파리를 솟아올리고 그 잎새 사이로 부서지는 달빛을 보면서 아름다운 글귀를 떠올렸을지도 모른다. 거기에 가고 싶다, 고 늘 생각하지만 나는 늘 여기 있을 뿐이었다.

손을 뻗어 아이의 이마를 만져보았다. 식어 내린 땀이 아이의 머리칼에 젖어 있었다. 다시 그 시절로 가기 싫지만, 정말 싫지만 너희들을 다시 얻기 위해 가라면 엄마는 갈 수 있어, 이건 정말이야…… 나는 아이들에게 단호하게 말했었다. 진심이었다. 세상에 태어나 생명을 낳고 기르는 일보다 무엇이 그리 중요할까 생각하고 있었던 것이다. 하지만 편집자에겐 무어라고 말할까, 아무리 생명을 낳고 기르느라 그랬다 해도, 그게 나 혼자만 하는 일은 아니니 그들은 얼굴을 찌푸릴 것이고…… 아마도 또 무슨 말들인가 할 것이고, 그 말들은 내가 듣지 않는 편이 이로울 것이지만 끝내 내 귀로 들려올 것이다. 제일 중요한 일은 설명할 필요가 없는데 그다음으로 중요한 일들은 많은 설명이 필요했다. 설명한다고 너그러이 이해받는 것도 아니었다. 그래도 달빛은 열려진 창으로 쏟아져 들어오고 있었다. 달은 얼굴을 뽀독뽀독 씻은 듯 맑고 고왔다. 그러고 보니 오랜만에 보는 맑은 달빛이었다. 에픽테토스가 말해준 대로 다 잊고 지금 이 순간을 살자고 생각했다. 저 아름다운 달빛과 이제 열이 떨어진 아이만 생각하자고.

지난주 섬진강가에 갔었다. 소중한 존재들과 함께였다. 간단한 문학 행사를 마치고 시인의 집으로 가는데 흰 벚꽃이 떨어져 내리고 있었다. 꽃이 피는 시간은 좀 길지만 이렇게 떨어져버리는 날은 하루라고 섬진강의 시인은 말했다. 그 많던 이파리가 낙엽으로 매달려 있다가 떨어져 내리는 것도 실은 일 년 중의 하루뿐이라고 시인은 말했다.

"우리는 일 년 중의 그 하루, 그 한순간을 지금 지나가고 있는 거야."

좁은 차 안에 다섯이 끼어 앉아 우리는 말없이 그 분분한 낙화를 보고 있었다. 꽃잎은 눈보라처럼 사정없이 우리의 차로 돌진해오고 있었다. 길 아래쪽으로 배나무 꽃이 희디희게 달을 우러르고 있고 그 아래 섬진강의 푸른 모래톱과 검은 강물이 숨죽이고 있는데 벚꽃 이파리만 헤드라이트 불빛에 찬란하게 반짝이며 우리들의 인생 속으로 속수무책 떨어져 내리고 있었다.

"이 봄을 견딜 수 있을까."

누군가가 말했다.

"아마 난 견딜 수 없을 거 같애. 오늘 하루조차 견딜 수 없을 거 같애. 아니 지금 이 밤조차."

다시 누군가가 말했다.

"아마도 장구가 좀 필요할 거야. 겨울이 되기 전 장만해야 할 월동 장구처럼. 어쩌면 월춘 장구가."

다시 누군가가 오랜 침묵 끝에 말했다.

토돌이

월춘 장구. 월춘 장구…… 아이의 곁에 누운 채로 나는 소설의 제목을 그렇게 정해야겠다고 생각했다. 그런데 아무것도 떠오르지 않았다. 다시 몸을 뒤척이다가 막내의 이마를 만져보았다. 미지근한 감촉이 내게 안도를 주었다. 부모로 산다는 것은 힘겨운 일이다. 어린것들에게 상처를 주지 않는다는 것도 힘겨운 일이다. ……한때 나는 이런 밤이면 일어나 아이들 방문을 다 닫고 혼자 책상에 앉아 있었다. 막내를 대학까지 보낼 수 있을까, 생각하면 세상 천지에 나 혼자 서 있는 듯 고요가 엄습했다. ……나는 일어나 책상 앞에 앉았다. 커피를 한 잔 끓여 책상 위에 놓고 가방 속에 들은 노트북을 꺼내 전원을 켰다. 그리고 그저 *끄적이듯* 써내려가기 시작했다.

정원은 텅 비어 있었다.

썼놓고 나서 이것이 소설일까 생각했다. 이런 것도 소설일까…… 그러면 소설은 무엇일까, 하는 내 안의 오래된 물음이 뒤따라왔다. 누가 이것은 소설이고 이것은 소설이 아니라고 우리에게 말해주는가. 누가? 어떤 검사가 술잔을 오래 붙들고 있다가 내게 말했었다.

"예전에는 말이지요, 자신이 있었어요. 이건 이 죄고, 저건 저 죄목이고, 너는 범인이고 너는 아니고…… 그런데 나이를 먹을수록 그게 힘들어요. 점점 더 말이지요. 힘들고, 또 무서워요."

둘째의 첫 장난감은 빨간 귀가 커다란 토끼였다. 아이에게 그것을 설명해주고 이름을 토돌이라고 붙여주었다. 망설일 필요도 없이 그랬다. 호랑이었으면 호돌이고 고양이었으면 고돌이가 되었을 테니까. 누가 만들었는지 모르지만 토돌이는 자줏빛에 가까운 빨간색 귀가 긴 귀여운 캐릭터였다. 아이가 안고 자기 좋게 감촉도 부드러웠다. 둘째가 제 방에서 혼자서 자야 할 무렵, 엄마 꼭 혼자 자야 해? 묻는 아이에게 나는 말했었다.

"착하지 우리 애기, 이제부터는 토돌이랑 둘이 자는 거야. 넌 혼자가 아니라구."

나는 아이들에게 늘 쓰는 수법대로 거짓말을 했다. 아이는 아무리 천천히 책을 읽어주어도 얼른 잠들지 못하고 뒤척이더니 하는 수 없다는 듯 토돌이를 꼭 껴안고 잠이 들었다. 처음에는 그렇게 애지중지 안고 잠이 들더니 시간이 좀 지나 제 키가 크니까, 그 인형을 베개로도 쓰고 발 올려 놓는 쿠션으로도 썼으며 가끔 제 동생과 싸움을 할 때 무기로도 썼다.

시간이 많이 흘러 이사를 하느라고 토돌이를 가난한 아이들에게 기증하기로 했다. 아이는 이미 수염이 날 정도로 커버렸던 것이다. 이미 작아져버린 옷이랑, 아직 팔다리가 성한 로봇을 골라 박스에 넣고 있는데 갑자기 둘째가 다가와 물었다.

"엄마 근데 토돌이 토끼 맞아?"

뚱딴지 같은 질문이었다.

"토끼면 어떻고 아니면 어떠냐? 쓸데없는 소리하지 말고 네 방에 가서 안 읽는 책이나 더 가져와."

내가 말하자 둘째가 내게 토돌이를 데려와 내밀었다. 뜻밖에도 거기에는 토끼 꼬리라고 하기엔 아주 약간 긴 자주에 가까운 빨간 꼬리가 달려 있었다. 그 아이를 키우는 십몇 년 동안 나는 그것을 보지 못했었다. 아니 보았다 해도 그것이 그저 토끼라고 생각하는 데 아무런 망설임도 없었을 것이었다. 선입견이란 무서운 것이다.

"엄마, 토돌이는 토끼가 아니라 개였어."

우리는 박스를 챙기다 말고 누가 먼저랄 것도 없이 웃기 시작했다.

"그런데 너무나도 토끼처럼 생긴 거야. 꼬리만 없었다면…… 영락없이…… 그런데 사실은 개였던 거지……. 이제사, 이별하는 순간에야 그걸 알게 되다니."

나는 더 써내려 가기 시작했다.

새벽부터 일어나 써야 할 글에 대한 두통과 읽어야 할 책 몇 권 그리고 향기로운 커피를 보온병에 넣어가지고 달려간 나의 시골집 정원은 텅 비어 있었다. 천지에 붉고 노랗고 흰, 꽃이란 꽃들은 다 피어나고, 피어나다 못해 벚꽃 잎 진 자리엔 저도 꽃이라는 듯 삐쭉이며 연녹색 잎들 돋아난 길을 달려왔는데, 나의 정원에는 그 어떤 파릇한 것도 돋아나지 않고 그저 황량한 겨울만 가득 차 있었다.

더 쓸 말이 떠오르지 않았다. 나는 책상에서 일어나 어두운 거리를 내려다보았다. 아직 연한 이파리를 단 나무들이 달빛 사이에 줄지어 서 있었고 거리는 잠들어 있었다. 달이 아무리 맑아도 도시에서는 은가루가 뿌려지지 않는다. 창으로 들어오는 바람은 겨울처럼 찼다. 그래도 봄이라고 창문을 좀 열어놓았던 것인데 너무 추웠다.

다시 책상으로 돌아왔다. 받은 편지함을 열어보니 새 메일이 도착해 있었다. 오랜만이었다. 이번에도 소송을 하겠다는 것이 그 요지였다. 나는 오른손을 왼쪽 가슴에 얹었다. 예전에는 석 달이 걸렸었다. 그 후에는 점차로 짧아져 삼 일이 걸렸다. 그런데 나는 이제 삼십 분 만에 그 메일을 소화해내고 있었다. 가슴에서 손을 떼고 자판 위에 손을 얹었다. 무슨 사연이 있을 것이다. 그 사람만의 분노가 있을 것이다. 내가 다 이해할 수도 없지만, ……있을 것이다. 내가 틀렸을 수도 있을 것이다. 소송을 하면 소송을 당하고 망신을 주려고 하면 가만히 서 있겠다고 생각했다. 그런다고 그 결과가 꼭 처음에 생각했던 그것은 아닐 거라는 것을 나는 이제 알게 되었다. 살자리가 죽을 자리가 되고 죽을 자리가 살자리가 된다. 내가 행복이라고 생각해서 모든 것을 버리고 움켜쥐었던 그것이 재앙이었으며 죽기를 각오하고 손을 놓자 오히려 상실은 나에게 자유와 평화를 가져다주었다. 처음부터 알고 있었던 것은 아무것도 없었다. 돌아보며 단지 일이 그렇게 되었다고 말할 수밖에 없었던 것이다. 그것은 오스카 와일드와 요한 크리소스토모와 에픽테토스가 그리고 불친절했던 내 삶이 준 선물이었다. 나는 다 그런 거라고 함부로 말하지 않기로 결심했다. 그것이 분명 토끼일 뿐이라고 나는 거의 십 년 동안이나 눈 크게 뜨고 말해왔던 것이다.

생이 나를 부르면 그것이 공평하든 그렇지 않든, 예, 하고 큰소리로 대답하기로 결심했다. 좋아하는 선생이 부르든 싫어하는 선생이 부르든, 출석 시간에 대답했던 학창 시절처럼 생이 부르거든 큰 소리로 예, 저 여기 있습니다 하고······.

나는 그렇게 겨울을 걸어가고 있다. 어쩌면 그것은 익숙한 것이었다. 그런데 그렇게 생의 부름에 대답하고 나서 혹시 오는 봄을 내가 견뎌낼 수 있을까. 언젠가 기습하고야 마는 봄 앞에서 내가 그것을 견뎌낼 수 있을까? 혹시라도 행, 복 같은 게 온다면 내가 그걸 감당할 수 있을까? 아아, 거기에는 도구가 필요할 것이었다. 겨울 길을 갈 때 장비가 필요하듯이, 봄 길, 꽃 길, 낯선 행복 길을 걸어갈 장비가, 월동 장구 말고, 월

춘 장구…… 아마도 내게 그건 쓰기, 읽기, 웃기, 기도하기 아
닐까.

나는 월춘 장구, 라는 제목을 글 맨 앞머리에 써넣고야 말
았다.

할머니는 죽지 않는다

도대체 이 집안에 제정신을 가진 사람이 하나라도 살고 있
는지 묻고 싶은 심정에서 나는 이 글을 시작한다. 물론 지금
부터 내가 하려는 말을 다 믿을 사람은 어쩌면 한 사람도 없
을 것이다. 내게 과학적인 증거는 하나도 없으니까. 그러나 지
금부터 하려는 말을 만일 유명한 작가가 했다거나 아니면 기
자나 배우들이나 혹은 최근 그룹을 해체시킨 유명 가수 중
의 한 사람이 기자회견장에서 이야기했다면 사정은 매우 달
라질 것이다. 어쩌면 〈세상에 이런 일이〉라거나 〈믿거나 말거
나〉 프로그램에 우리 집이 소개되고 이 모든 일을 지켜보고

추리해낸 침착한 소녀의 표본으로 나는 전 국민을 대상으로 하는 다큐 프로의 인터뷰이로서 얼굴을 내보이게 될지도 모른다. 그러나 나는 겨우 열아홉 살이고 서울에 있는 주간 대학에 진학할 확률도 매우 낮은, 그래서 인격과 지능, 나아가 내가 하는 말의 진실 여부도 무조건 의심받고 있는 처지의 여성일 뿐인 것이다. 얼마 전까지 내 열아홉의 생애를 걸고 맹세코 나는 제정신이다, 라고 생각했지만 지금은 그마저도 의심스럽다. 수능시험 공부를 팽개치고 이 글이라도 쓰지 않으면 안 되는 것은 바로 그 때문인 것이다. 이런 일이 지금 우리 집에서 일어나고 있다는 것을 알려야겠다는 절박한 심정에서 여러 네티즌들의 의견을 구하고자 하는 것이다.

건전하게(?) 교제를 해왔던 내 오래된 남자친구마저 요즘은 통 연락이 없다는 사실이 나를 심심하게 했고 그래서 내가, 이제는 하는 수 없이 공부를 해야만 하는 내가, 공부를 하지 않을 핑계를 대기 위해 이런 발상을 했다고 누군가 나를 모함할지도 모른다. 그러나 솔직히 공부를 하지 않을 핑계는 많다. 날씨도 덥고 할머니도 아프시고…… 게다가 나는 지금 실연의 아픔까지 견뎌야 하는 소녀인 것이다. 살면서 수많은 남자를 만나고 사랑하다 헤어졌지만 너만은 달랐어. 너는 곧 나를 잊겠지만 나는 그럴 수 없을 거야……라고 매번 남자와 헤어질 때마다 하던 생각을 담아 그에게 메일을 보낼수도 있다. 그러나 나는 이제 그런 짓은 하지 않는다. 한때 진정이었던 모든 감정이 그렇듯이, 그것 또한 지독한 후회를 동반할 것이기 때문이다. 그러나 나는 한 가지는 분명히 안다. 그가 나와 헤어지기를 결심한 데에는 아마도 우리 집안의 분위기가 결정적이었다는 것을…… 여기까지 써놓고 보니 그가 나를 처음 만나기 시작한 이유가 우리 집안 때문이었다고 하는 설명 또한 어쩌면 해야 할지도 모르겠다. 우리 집안은 강남의 유명한 사거리에 커다란 빌딩을 가지고 있고, 우리 집 식구들의 직업은 그 빌딩의 수금원이다. 나는 아주 어린 시절부터 '가진 것은 돈밖에 없다!'라는 농담이, 돈이 많다는 것을 강조하기 위한 말이 아니라 '어쩌면 돈 말고는 그렇게 아무것도 가진 게 없을 수가!' 하는 뜻에서, 바로 우리 집 식구들에게서 파생된 고사성어라고 생각했던 조숙한 아이였으니까.

그를 처음 만나던 날 나는 어머니가 타는 포르셰를 타고 있었고 그 차에 올라타서 그가 말했다. 야 굉장한데……. 그게 나를 두고 하는 말이 아니라 차를 두고 하는 말이었다고 생각하며 마음이 아팠던 것은 그가 너무 잘생긴 데다가 명문대생이었기 때문이었으리라. 하지만 나는 여기서 더 이상의 설명을 하는 수고는 하지 않으련다. 그건 내가 하고자 하는 말의 본질과는 아무런 상관도 없기 때문이다.

　마지막으로 그 애가 우리 집에 왔을 때가 한 달 전이던 가…… 그때 우리 집은 아직도 계속되고 있는 소동의 한가운데 있었다. 그 애는 과일 바구니를 들고 할머니 문병을 핑계 삼아 우리 집으로 왔던 것이다. 아니 문병이라는 말은 좀 어색하다. 그렇다고 미래의 손주 사위로서 할머니의 임종을 예비하기 위해? 할머니로부터 재산을 상속받을 명단에 그의 이름 석 자를 올려놓는 눈도장을 찍기 위해? 아마도 머리 좋은 그는 그런 계산을 '어른에 대한 젊은이의 도리'라는 말로 합리화했었을 공산이 크다. 그는 평생을 '가난하지만 성실하고 정직했던'이라는 묘비명을 미리 작성해놓은 공무원인 제 아버지조차 '꼰대'라는 이름으로 묘사하기를 즐겨하는 사람이기 때문이다. 하지만 머리 좋은 그가 예상치 못한 것도 있었다. 포르셰를 탈 만큼 비정상적으로 돈이 많은 우리 집에 일단 들어서 보면 다른 모든 것도 어쩌면 그렇게 다 비정상적일 수도 있다는 예측을 하지 못한 것이다. 할머니에 대한 문병…… 이것도 사실은 좀 어폐가 있다. 내가 표현에 이렇게 신경을 쓰는 데에는 퍽이나도 복잡한 이유가 있다. 그러니까 우리 할머니가 6개월째 죽어가고 있는 것이다.

할머니가 죽어가고 있다니까 이야기가 꽤 낭만적이거나 실존적으로 들리는지 모르겠지만 그게 말하자면 좀 복잡하다. 그러니까 할머니는 원래 6개월 전에 돌아가셨어야 하는 사람이었다. 그때 의사는 의학적으로 거의 사망 선고를 내렸고 그래서 우리는 식도암으로 열흘째 물 한 모금 못 삼키는 할머니를 집으로 모셔왔고 어머니와 아버지, 큰외삼촌 그리고 갓 결혼한 막내외삼촌까지 모두 모여서 화장을 할 것인지 장지를 쓸 것인지 꽤 깊숙한 논의들을 하고 계셨다. 솔직히 할머니를 좋아하지 않았던 나였지만 집안 분위기가 거기까지 가고 보니, 인간이란 무엇인가, 죽음이란 무엇인가, 결국 인간은 빈손으로 가는구나, 엄마 말이 맞았나, 할머니는 너무 고생을 해서 돈에 포한이 맺혀버린 거야. 원래 나쁜 사람이 아니었고……, 뭐 이런 생각을 할 뻔하기도 한 것이다. 내가 할 뻔했다, 라고 말하는 것은 그러니까 일이 생각대로 전혀 진행되지 않았다는 것을 의미하는 것이다.

할머니는 현대 과학을 다 동원해 의사가 예측한 대로 일주일이 지나고 한 달이 지나도 돌아가시지 않았던 것이다. 할머니는 숯덩이 같은 빛깔의 얼굴로 숨을 몰아쉴 뿐이었다.

할머니의 숨소리는 정신 나간 거위가 꽥꽥거리는 것처럼 커서 가끔 할머니의 용태를 확인하러 집에 들르던 친척들은 할머니 방에 얼씬하지 않고도 거실에서 느긋하게 햄과 치즈 그리고 연어 따위를 안주 삼아 위스키를 마시면서 골프 이야기를 했다. 할머니에 대해서 말하는 것이라곤 아마 "저 양반 참 오래 버티시네…… 당신을 위해서라도 이제 고만 가셔야지"라고 모든 것이 할머니를 위한 생각이라는 듯, 스스로를 매우 선량하게 여기는 얼굴로 말했던 것뿐이었다.

그러던 어느 날 사건은 시작된다. 비록 꽥꽥 하는 기분 나쁜 소리를 내지르기는 했지만 비교적 규칙적인 타악기처럼 박자를 맞추던 할머니의 숨소리가 밤새 불규칙하게 끊어졌다 이어졌다 하기 시작했던 것이다. 친척들이 몰려와 할머니 곁에 둘러앉았다. 그런데 할머니는 다음 날 새벽 자리에서 일어나 앉은 채로 발견되었다. 발견되었다, 라고 말하는 것은 할머니가 밤에 임종하실까 봐 교대로 그녀의 곁을 지키던 막내외삼촌이 그날 새벽 할머니 곁에서 시체로 발견되었기 때문이었다.

먼저 문을 열어본 것은 몇십 년째 심장을 앓던 엄마였다. 엄마는 할머니에 대한 병간호에 지쳐 밤이면 거의 잠을 이루지 못했고 그 때문에 수면제를 복용하고 계셨는데 그날도 모든 것을 젊은 막내외삼촌에게 맡기고 일찌감치 수면제에 의지한 채 잠이 드신 모양이었다. 그렇게 초저녁부터 깊은 잠에 빠졌다가 새벽에 이상한 비명 소리와 뒤섞인 주문 소리에 잠이 깨었다고 했다. 수면제 기운이 남아 있었기 때문인지 엄마는 몽롱한 상태에서 그 소리를 듣고 있었다고 했다. 엄마의 진술을 들어보자.

"그러니까 내가 분명 정신은 말짱한데…… 그래서 무슨 소리를 듣고는 있고, 그게 분명 어머니 방에서 나는 소린데 이게 무슨 소린 줄 알겠어야지…… 나는 속으로 노인네가 오늘을 못 넘기시나 보다, 그래서 막내가 비명을 지르고 있구나 하는 생각을 했던 거야. 그런데 혼곤한 와중에 아무리 들어도 비명 소리는 젊은 남자의 것이고 중얼중얼하는 소리는 노인네의 것이었어. 비명 소리가 높아질수록 중얼중얼하는 소리는 빨라지고, 일어나야지, 생각했어. 도둑이 들었나 내가 악몽을 꾸나 별생각이 다 들었으니까…… 그런데 몸이 가위에 눌린 것처럼 꼼짝도 못하겠는 거야…… 어느 순간 비명 소리가 멎고 동시에 중얼거림도 그쳤지. 그 순간 거짓말처럼 몸이 말을 듣기 시작하는 거야…… 처음엔 나쁜 꿈을 꾼 줄 알았어. 그래서 얘 아빠를 깨웠지. 얘 아빠는 어젯밤에 술을 얼마나 마셨는지 일어나지를 못하더라구…… 그래 나 혼자 방에 들어갔더니 어머니가 일어나 앉아 있는 거야…… 난 아직도 내가 꿈을 꾸고 있나 했어. 노인네가 나를 보자마자 다짜고짜로 미음 가져와라! 하는 거야. 그러고 보니 막내가 죽어 있었어……. 그다음은 너희들이 보고 들은 바대로야……."

우리가 보고 들은 바는 이렇다. 막내외삼촌이 죽고 할머니가 일어나 앉았다. 삼촌의 사인은 30대의 돌연사. 할머니 장례식을 위해 준비되었던 음식은 고스란히 막내외삼촌의 초상을 치르는 데 사용되었다. 할머니는 막내가 죽은 그 와중에도 미음을 받아들더니 한 숟갈 입에 넣은 후 미음 그릇을 던져버리고는 말했던 것이다.

"미음 못 먹겠다! 밥 가져와! 흰밥으루다!"

그처럼 기괴한 장례식은 없었다. 할머니는 막내아들의 죽음을 두고도 아무 변화가 없었다. 아니 변화가 없는 정도가 아니라 꼬들꼬들한 밥을 한 그릇이나 해치우고 일어나 머리를 빗고 손님들과 담소를 나누고 상머리에 앉아 고기를 뜯으며 높은 소리로 웃었다. 문상객들의 어리둥절하고 민망한 표정을 보다 못해 어머니가 사람들을 붙들고 이야기하기 시작했다.

"노인네가 실성을 하신 거 같아요. 너무 상심을 하신 나머지…… 얼마나 애지중지하던 막내였다구요. 거의 오십에 낳은 자식이니…… 요즘에 젊은 사람들이 돌연사인지 뭔지 자꾸 그런 일이 일어나니 큰일이야…… 직장에서 너무 스트레스를 받은 데다가 어머니 병 때문에 피곤해서…… 젊은 애가…… 아무튼 이 나라가 젊은 애들을 잡는다니까…… 걔가 얼마나 효자였는데."

어머니는 말이 많아졌고, 말문이 막히면 꼭 우는 시늉으로 말문이 막힘을 감추는 데 성공했고, 사람들은 아아, 예에…… 말꼬리를 흐리며 시선을 돌려버렸다. 하지만 나라가 젊은 사람들을 잡는 것은 잡는 거라 쳐도 장례식에서 할머니의 행동은 누구도 이해할 수 없는 것이었다. 그러니 노인네가 실성을 했다는 말이 일리는 있었지만 할머니는 문상을 온 친척과 지인들을 붙들고 마치 자신이 실성하지 않은 것을 증명이라도 하겠다는 듯 말했던 것이다. "태안의 서해 부동산 정사장이구만. 애 대학은 잘 다니나?"라든가, "아니 김 씨는 빌딩 지켜야지 왜 여기 왔수, 김 씨 그때 화장실 물 샌던 그 19층 유성산업 사무실은 고쳐줬나?"라든가…….

황망한 식구들이 막내외삼촌의 화장터로 떠나고 난 후, 집 안에는 할머니와 나와 그리고 청각장애인인 내 여동생만이 남아 있었다. 그때가 지난겨울이었다. 나는 외삼촌을 실은 영구차가 사라지는 골목에 서 있다가 정원에서 담배를 한 대 피워 물었다. 할머니가 살아났으니 이제 담배를 편안히 피우기도 힘들게 생겨버렸다. 나는 아무렇게나 걸치고 나온 반코트 주머니에 손을 찌르고 외삼촌의 자취가 사라진 담 밑에 서 있었다. 강남의 벼락부자들이 하나둘 모여들어, 처음부터 우리는 늘 이렇게 부유하고 고상할 운명이었어, 라는 듯 촌스러운 2층집을 올렸던 우리 동네. 한때는 그들도 마음의 상처를 지불하고 한 줌의 쌀을 얻어본 적도 있었겠지만, 나 어렸을 때만 해도 학교 갔다 오는 길에 우리 집이 있는 골목으로 들어서면 줄장미도 담을 따라 생글거리고 후박나무나 오동나무 이파리도 커다랗게 펼쳐져서 골목에 시원한 그늘을 드리우며 "우리는 돈도 있고 행복하기도 해!" 하는, 제법 귀여운 거짓말이라도 지어내는 듯했지만, 요즘 우리 집 담 위로 펼쳐지는 동네의 풍경은 아예 노골적이다. 줄장미는 뽑혀나가고 후박나무는 잘려져 거기에 쇠로 된 간판이 우뚝우뚝 서 있을 뿐이었다. '아나 카프리'라는 이탈리아 식당에서부터 '니벨룽겐의 노래' 카페, '타지마할'이라는 이름의 단란주점, '칭따오' 중식당까지 세계 각국의 명승지와 동서고금의 문화가 어우러져 있다. 나는 그들이 왜 난데없이 그런 이름들을 골랐는지, 저게 무슨 뜻인지 가끔 생각해보았지만 그저 그들이 참 튀려고 애썼구나, 하는 생각만 들었고, 내가 골머리를 썩이며 그 생각을 할 필요가 전혀 없었다는 결론에 도달할 뿐이었다. 그 간판들이 아나 카프리를 그리워했든 타지마할을 재현하려고 했든 하고 싶은 말은 단 한 가지 "돈을 다오! 그것도 많이!"이기 때문이다. 그러니 우리 집이 이 동네에 있는 것이 그렇게 우연은 아닐 것이다. 겨우 20년쯤 된 고가라고나 할 집 정원은 지난겨울 쌓인 눈이 아직 남아 있었고 하늘은 낮아서 바람이 음산했다. 정원의 오래된 나무 사이로 귀신이라도 걸어 들어올 것 같은 날씨였다.

그날 식탁에 밥을 대충 차려놓고 할머니를 부르러 가자 할머니는 경대 앞에서 루주를 바르고 있었다. 그 루주 빛은 너무 붉어서 외삼촌의 젊은 피 같았다. 나는 순간 할머니가 막 내외삼촌을 잡아먹었을지도 모른다는 생각을 밑도 끝도 없이 했다. 그것은 정말이지 젊은 남자 하나를 잡아먹은 늙은 여우의 형상이었다. 누군가가 네가 그런 여우를 보기라도 했느냐고 물으면 나도 할 말은 없지만 아무튼 그런 기분이었던 것만은 확실하다. 할머니는 경대 거울 속으로 들어선 나를 침입자라도 되는 양 돌아보았는데 그때 그녀의 눈빛에 나는 그만 그 자리에서 얼어붙어버린 것이었다. 뱀에게 잡히기 전에 쥐와 개구리가 넋이 빠진다더니 내가 꼭 그 꼴이었다. 만일 이게 〈전설의 고향〉의 한 장면이어서 할머니로 분한 여우가 그때 내게 달려든다 해도 나는 꼼짝 없이 서서 그녀가 나를 잡아먹는 것을 보고만 있어야 했었을 것이다. 하지만 나의 그 얼어붙은 침묵을 깬 것은 할머니였다.

"요망한 것! 뭘 그리 바라보니?"

요망한 모습의 할머니는 내게 요망하다는 단어를 쓰더니 횡 하니 일어나 식탁으로 걸어왔다. 그녀는 진홍색 비단 투피스차림이었다. 평소에 작았던 체구는 그동안 식도암으로 앓던 영향이었는지 바싹 오그라 붙어 있었지만 두 볼에 흐르는 이상한 탄력은 나의 뺨과 비교해도 손색이 없을 만큼 탱탱했다. 그건 명백히 부조화이자, 일종의 공포였다. 그렇게 죽음에서 살아나와 볼만 탱탱한 할머니와 나와 그리고 착해빠진 내 청각장애인 여동생 이렇게 셋이 마주 앉은 커다란 식탁을 상상해보라…… 밖에는 음산한 하늘이 정원으로 내려와 있고 마른 나뭇가지는 바람이 불 때마다 죽은 자의 손가락처럼 유리창을 타각타각 쳤다. 여동생은 평소에 장애인인 자신을 유달리 사랑해주었던 막내외삼촌 때문인지, 검은 속눈썹이 촉촉이 젖어 꾸역꾸역 밥을 씹고 있었다. 할머니는 그날도 내게 갈비찜 남은 것을 데워 와라, 전을 더 담아라 하더니 그동안 보충하지 못한 식욕이 억울하다는 듯 밥을 두 그릇이나 비웠다. 여동생은 슬픔에 잠겨, 나는 혐오에 잠겨 더 이상 밥을 먹을 수가 없었다. 참지 못하는 것은 언제나처럼 나였다.

"할머니 밥이, 그렇게 맛있어요?"

내 말투는 곱지 못했을 것이다. 할머니는 그때 갈비에 붙은 뼈를 뜯던 참이었다. 갈비에 붙은 쇠기름은 할머니의 비취 반지에까지 튀어 있었다. 그녀는 그 기름 덕지덕지 붙은 손가락을 쪽쪽 빨며 내게 눈을 흘겼다. 그러곤 말했던 것이다.

"숭늉 데워 와라!"

방에 돌아온 나는 고3에 올라가는 처지임에도 불구하고 책을 펼 수가 없었다. 여동생은 언제나 그랬던 것처럼 침대에 조용히 누워 책을 집어 들었다. 여동생은 심한 열병에 걸려 네 살 때 청력을 잃었다. 그때 나는 아마도 여덟 살이었을 것이다. 여동생이 열병에 걸려 청력을 잃던 날 아침 학교에 가면서 내내 울었던 생각은 지금도 생생했다. 학교에 가서 선생님을 따라 한 꼬마 두 꼬마 세 꼬마 인디언…… 노래에 맞추어 율동을 하면서 나는 내내 기도했던 것이다. 제발 우리 여동생을 살려주시고 대신 우리 할머니를 데려가주세요…….

내가 왜 그렇게 기도했었을까. 그래, 그러고 보니 생각이 난다. 나는 왜 이 기억을 잊고 있었을까. 그래, 그때도 할머니는 몹시 아팠었다. 그리고 할머니가 일어나 앉은 날 보문동 한옥 대청마루 끝에서 놀던 여동생이 갑자기 마당으로 떨어져 내렸던 것이다. 그리고 그 애는 더 이상 듣지 못하게 되었고 그래서 청각장애인이 되었고 그 열병 탓에 간을 상했다. 그 애는 그날 이후 학교에 가는 날보다 방 안에 누워 있는 날이 더 많았다.

그날 이후 할머니는 벌떡 일어나 아버지가 운전하는 자동차를 타고 어머니의 호위를 받으며 다시 땅을 보러 다녔다. 우리 집은 더 부자가 되어갔던 것이다. 그리고 그것이 할머니 덕임을 부인하는 사람은 아무도 없었다. 저 할머니에게는 돈 벌어다 주는 귀신이 붙은 게 틀림없어. 희한하지. 저 양반이 찍으면 영락없이 1년 이내에 값이 두 배로 뛰는 거야……. 여동생은 그날 이후 내내 침대에 누워 책을 보거나 아니면 가끔 이불을 뒤집어쓰고 이상한 신음 소리를 내며 울었다. 우리 집이 처음 이 동네로 이사 왔을 때 내가 학교에서 돌아오니 동생은 2층 난간에 서서 나를 기다리고 있었다. 그때 우리 집에 있었던 식모 언니의 말을 빌리면 내가 학교에 간 이후로 동생은 언제나 그렇게 2층 난간에 서서 내가 올 때까지 꼼짝 않고 서 있었다고 했다. ……그런 동생을 보면서 어린 마음에도 "걱정 마. 이 언니가 널 끝까지 지켜줄게"라는 결심을 했던 생각을 하면 지금도 어리둥절하다. 대체 무엇으로부터. 무엇을 가지고 동생을 지킨다는 생각이었을까.

침대에 비스듬히 기댄 채 책을 든 여동생은 큰삼촌의 막내인 초등학교 6학년짜리보다 체구가 작았다. 그러나 그녀의 얼굴은 삼십 년 동안 민둥산을 헤매다닌 것처럼 피로해 보였다. 가끔씩 허공을 바라보는 깊은 눈매는 먼 지상을 헤매는 것 같았고 어쩌면 우주 끝을 향해 있는 것 같기도 했다. 그리고 수많은 비밀을 오래 혼자서 간직할 저주라도 받은 것처럼 그녀의 얇은 입술은 좀처럼 벌어지지 않았다. 내가 재미있는 이야기를 손짓 발짓, 수화와 필담을 섞어 해줄 때도 그녀는 그저 미소 지을 뿐이었다. 그리고 끝내 희고 가지런한 이를 내보이며 웃기도 했는데 그러고 나면 그녀의 눈은 곧 서글퍼졌고 가끔씩 무언가 말하고 싶어 하는 듯도 했다. 왜? 내가 물으면 그녀는 고개를 도리도리 젓고는 시선을 내리깔아 버렸다. 나는 그저 그녀가 언젠가 때가 오면 마음속에 있는 말을 내게 할 수도 있을 거라고 막연히 생각하고 있을 뿐이었다.

여동생과 내가 쓰는 2층 창으로 바람이 덜컹거렸다. 그럴

때마다 지난가을 정원 한쪽에 쌓아 두었던 마른 이파리들
이 공중으로 떠올라 우리 창까지 기웃거리기도 했는데, 그
러고 나면 우리 집의 오래된 새시 문은 삐이삐이 신음을 뱉
기도 했다. 문득 언젠가 어린 시절의 한 장면이 내게 떠올랐
다. 아마도 엄마와 아빠와 할머니는 그때 임시로 거처를 옮기
고 있었다. 산동네 재개발 딱지인가 뭔가를 위해 이불과 냄비
몇 개를 들고 한 달쯤 거기 머물러야 한다고 했던 것 같기도
했다. 그때 내가 열 살 아마도 동생이 여섯 살 무렵이지 않았
나 싶다. 할머니는 그 밤 난데없이 집으로 돌아왔다. 그러고
는 식모에게 일러 물을 받게 하고, 청주를 탕에 부어 목욕을
했다. 시큰한 청주 냄새가 온 집 안에 가득 찼다. 그렇게 얼
마 후 할머니는 목욕 가운을 입은 채로 나와 여동생의 방문
을 열었다. 우리 자매는 부모가 없는 사이에 만화를 잔뜩 펼
쳐놓고 읽고 있던 참이었다. 그때 할머니는 나와 내 여동생이
함께 쓰던 침대에 걸터앉았다. 내가 이 광경을 똑똑히 기억하
고 있는 것은 그것이 그녀가 나름대로는 비록 겉모양새뿐이
었지만 할머니다운 모습을 보여주려고 노력한 처음이자 마
지막 사건이었기 때문일 것이다. 할머니는 우리를 주려고 작
정을 했는지 미제 막대 사탕 두 개를 내밀었다. 생각해보면
참으로 그 광경은 보기에는 좋다. 일 때문에 집을 떠난 부모

를 그리워하며 잠들지 못하는 외손녀들에게 할머니가 내미는 막대 사탕 두 개. 그러나 나와 여동생은 아무 말 없이 그것을 받았다. 우리 둘은 아마 어쩌면 이 사탕을 받으면 어떤 대가를 치러야 할까. 두려운 얼굴이었을 것이다. 동생은 끝내 그것을 먹지 않았다. 생각해보라. 여섯 살짜리가 부모도 없는 어두운 밤에 달콤한 것을 먹지 않을 수 있다는 것은 어떤 저항을 내포하고 있는 것인지…… 나로 말하자면 왠지 모를 의무감에 사로잡혀 초콜릿 맛이 나는 그 사탕을 의미 없이 빨았다.

"이 할미가 재미있는 이야기 해줄까?"

그날 창밖에는 아마도 비가 내리고 있었던 것 같다. 아니, 어쩌면 기억에 의해 비는 나중에 윤색되었을지도 모른다. 그러나 나는 이상한 한기를 느끼고 있었다. 그건 여동생도 마찬가지였는지 그 애는 무릎에 덮은 이불을 위쪽으로 자꾸 끌어당기며 내 곁으로 조금씩 조금씩 다가오고 있었다.

"이 할미가 말이야…… 서른 살쯤 되었나…… 이 나라에 전쟁이 있었단다…… 지독한 가난이 우리를 덮쳤다. ……지독한 가난이었어. 니 에미 위로 삼촌 셋이 있었는데 밥 한 그릇 못 먹고 줄줄이 죽어나갔으니까…… 할미는 니 에미 위로 있었던 이모를 배고 있었다…… 먹을 거라곤 칡뿌리도 없고. 니들 칡뿌리 아냐? ……씨강냉이마저 떨어졌지. 읍장 아들 대신 늙은 나이에 군대 간 네 할아버지는 소식도 없고……."

할 수만 있었다면 나는 할머니보고 나가라고 말하고 싶은 기분이었다. 그런데 사탕도 얻어먹었고 우리에게는 한 번도 따뜻한 말 한마디 하지 않았던 할머니가 이 할미, 이 할미 하는데 그만 좀 나가시라고 말하기는 열 살인 나의 윤리로도 좀 그랬다. 언젠가 엄마가 할머니가 자식 열을 낳았는데 모진 전쟁과 가난에 모두 죽어버리고 이제 남은 것은 밑의 자식 셋뿐이라는 말이 기억났다. 엄마는 그 말 뒤에 언제나 이렇게 덧붙이곤 했다.

"너희 할머니처럼 가엾으신 분도 세상에 또 없을 거야…… 남들은 수전노라고 욕하지만 나는 네 할머니를 이해한다…… 모진 세월 빼앗기기만 하고 사셨지…… 굶주림 앞에 장사가 어디 있겠니? 행동은 저래도 원래 속은 따뜻하신 분이야. 그러니까 너희들도 할머니께 잘해드려야 해. 알았지?"

나는 원래 속이 따뜻하다는 엄마의 말을 이해하려고 애썼다. 그러다가 도저히 이해가 안 되는 한 가지 결론에 도달하기로 해버렸다. 그 속은 한 번도 표현되지 않았다고. 누가, 비록 부모 자식 간이라 하더라도 남의 속을 알겠는가. 그러니 좋다고 생각해도 별 손해는 없을 거였다.

"이 할미는 배가 고팠다…… 보리밥이라도 배 터지게 먹어 보는 게 소원이었지…… 쥐도 잡아먹고 개구리도 잡아먹고. 그런데 어느 날 쥐약 먹은 쥐를 먹고 아이들 셋이 한꺼번에 죽었다. 니들한테는 외삼촌 이모들이 되겠구나…… 애들을 거적때기에 말아서 묻고…… 또 지긋지긋하게 애기를 가졌는데 배가 고픈 거라…… 배가 환장하게 고픈 거야…… 임신을 해서 배는 남산만 한데 옷을 벗어 보면 갈비뼈가 손가락 마디처럼 튀어나와 있었으니까…… 쥐는 무서워서 더 못 잡아먹겠고…… 그때 우리 집 헛간에서 야옹이 소리가 나더란 말이다…… 나는 살금거리며 헛간으로 다가갔다."

들지 못하는 내 동생이 순간 내 팔뚝을 아프게 잡았다. 엽기다, 라고 나는 생각했다. 그러나 엽기라는 단어의 뜻도 모르는 할머니의 소리는 아주 낮아서 고양이가 그릉거리는 것 같았고 시큼한 청주 냄새가 그녀의 입에선지 몸에선지 풍겨 나오고 있었다. 그 냄새만으로도 우리 두 자매는 정신이 몽롱해지는 기분이었다. 이제 그만 나가달라고 말하지 못한 것이 후회스러웠지만 입이 떼어지지 않았다.

"헛간에서는 고양이가 피비린내를 풍기며 새끼를 낳는 중이었어…… 나는 기다렸지. 잠시 후 고양이가 새끼를 다 낳은 기척이 느껴지는 거야. 모른 척 불을 때서 가마솥에 물을 한 바가지 부어놓고 나는 헛간으로 들어갔다. 아직 똥구멍에 피도 떨어지지 않은 에미 고양이가 필사적으로 일어서서 나를 노려보더구나. 그러곤 다음 순간, 정말 눈 깜짝할 사이에 제 새끼들을 물어 죽이더구나. 나는 가만히 서 있기만 했지…… 고양이는 원래 그러니까…… 새끼를 죽인 에미는 내가 다가가자 비틀거렸어. 똥구멍에 피도 다 안 떨어졌으니 지가 도망갈 재간이 있었겠나…….”

나는 맛도 모르고 막대 사탕을 빨다가 알 수 없는 힘에 이끌려 그것을 우둑우둑 씹었다. 청각장애인 여동생이 이상한 신음 소리를 냈다. 갑자기 할머니가 높은 소리로 깔깔거리며 웃었다.

“그러니 니들은 얼마나 행복한 거냐? 그러니 효도해라 효도해!”

새끼 낳은 고양이를 잡아먹은 할머니가 효도를 하라는 교훈을 엽기적으로 남기며 자리에서 일어났다. 나는 제 새끼를 죽여야 했던 그 고양이 같은 심정으로 동생을 끌어안았다. 문을 열려던 할머니의 야릇한 시선이 내 가슴에 고개를 묻고 있는 파리한 여동생에게 가서 멎었다. 희미하게 미소를 짓고 있는 그녀의 얼굴에는, 그녀가 자신보다 여리고 약한 모든 사람을 대할 때 그러하듯 조소와 경멸이 엿보였다…….
내가 껴안고 있는 여동생의 등에 소금 알처럼 굵은 소름이
퍼져나가는 것이 면사 잠옷 위로도 선명하게 느껴졌다.

나는 할머니가 왜 하필 그날 밤, 그 이야기를 난데없이 우
리 자매에게 했는지 지금도 그 이유를 알지 못한다. 한참 커
서 생각해본 것인데 아마도 재개발이 된다는 그 빈민촌의 어
떤 냄새가, 그곳을 불어가던 어떤 습습하고 악취 나는 바람
이, 아니면 맞닿은 지붕과 지붕을 떠도는 고양이의 울음소리
가 할머니의 기억을 자극시켰던 것일까…….

어쨌든 막내외삼촌을 화장시킨 가족들이 집으로 돌아올
때쯤 할머니는 경대 서랍을 뒤지며 정 변호사를 불렀다. 장
지에서 돌아온 가족들이 젊은 막내외삼촌을 잃은 충격에서
다 헤어나지도 못한 얼굴로 할머니와 할머니의 고문 변호사
인 정 변호사 앞에 복권 당첨을 기다리는 실업자들처럼, 삼
성아파트 당첨을 기다리는 떳다방들처럼 일견 기대에 차고
일견 초조한 얼굴로 모여 앉았다. 할머니는 이제는 생기가
돌아온 얼굴로 제일 먼저 큰외삼촌을 노려보았다. 큰외삼촌
은 할머니의 시선을 받자마자 얼굴이 검붉게 변해버렸고 이
어 와들거리며 떨기 시작했다.

큰외삼촌으로 말하자면 고부간의 갈등으로 할머니를 할머니의 딸네 집인 우리 집으로 몰아낸 "지 여편네 치마폭에서 놀아나는 줏대 없는 사내"의 표본이었고 병원에서 할머니를 집으로 보내라고 했을 때 가장 적극적으로 나선 사람이었다. 그리고 아버지의 표현에 따르면 "어머니에게 받은 돈을 다 말아먹으며 이제 망할 일밖에 남지 않은 사업을 어머니 유산으로 다시 일으켜보려는 속셈만 남아 있는" 사람이었다.

"박 여사님은 오늘 새로 유언장을 작성하셨습니다. 그리고 이 사실을 자식 여러분에게 알리기를 원하셨습니다. 그리고 당신이 살아 있는 한 이 유언장은 한 달에 한 번 저를 통하여 갱신됩니다. 그리고 만일 당신이 유언을 바꾸는 일 없이 돌아가실 경우에 이 유언장은 될 수 있는 한 빨리 집행된다고 하셨습니다. 질문 없으십니까?"

모두들 말이 없었다. 이상하지 않아? 어떻게 한 사람은 기적처럼 살아나는 동시에 한 사람은 거짓말처럼 죽어 넘어지다니…… 수군대던 그들은 그러나 변호사 앞에서 모두들 입을 다물고 뜨거운 물에 데쳐진 시금치들 같은 표정을 지을 뿐이었다. 나는 2층 난간에 기대어 초콜릿을 씹으면서 그들을 보고 있었다.

"……그리고 지금 어머님이 고모님 댁에 계시긴 하지만 결국 제사는 저희가 모실 텐데…… 어머니 아예 이 김에 저희 집으로 가셔서…… 비록 저희 집이 고모네 집에 비해 낡고 누추하고 그러긴 하지만……."

96평 빌라에 사는 외숙모가 입을 열자 순간 시금치에 데친 것 같던 아버지와 어머니 그리고 막내외숙모까지 빳빳하게 시선을 곧추세웠다. 큰외삼촌이 자신의 부인인 외숙모의 옆구리를 살짝 찔렀다.

"그건 저로서는 말씀드리기 곤란합니다. 저는 그저 박 여사님의 충실한 고용인일 뿐입니다. 그럼 이만."

정 변호사가 돌아가고 나자 잠시 침묵이 맴돌았다. 할머니는 방으로 돌아가 비단 보료 위에 피곤한 몸을 뉘였다.

"막내올케도 젊은데, 막 장례 치르고 온 사람에게 이런 말하기 뭐하지만 팔자 고칠 생각해. 죽은 사람은 죽은 사람이고 산 사람은 살아야지. 그리고 이제부터 이 집에는 안 와도 돼…… 지금 세상이 어떤 세상인데……."

엄마가 입을 열자 동시에 아버지도 큰외삼촌 부부도 모두 고개를 끄덕였다. 마침 막내외삼촌에게는 자식이 없었다. 막내외삼촌이 죽었다는 사실, 그건 어쩌면 그들에게 돌아올 할머니의 재산이 커진다는 것을 의미할 수도 있었다. 그랬을까, 나는 그랬을 거라고 혼자서 확신하고 있었다. 그러니 그들에게 막내외숙모는 그저 사라져야 할 존재였다.

"그럴 순 없어요! 저도 엄연히 이 집 호적에 올라 있는 이 집 며느리예요. 이 집 식구라구요. 평생 정절을 지키며 이 집에 살겠어요…… 어머님 수발들면서 살겠어요…… 그게 그이도 바라는 일일 거예요…… 저는 병드신 가엾은 어머니를 두고 이 집을 떠날 수는 없어요……."

그녀의 목소리에 슬픔의 기색은 없었다. 다만 비장한 결의가 있었을 뿐이었다. 그리고 그 목소리가 할머니를 향한 것이라는 걸 모르는 사람은 없었다. 남은 식구들은 일제히 얼굴을 찌푸렸다.

그렇게 한 달이 지나갔다. 할머니는 왕성한 식욕을 자랑하며 날마다 고깃살을 뜯어대다가 한 달 안에 다시 앓아누웠다. 할머니는 다시 입원을 해야 했다. 어머니의 전언에 따르면 종합검진 결과 의사들은 고개를 저었다고 했다. 할머니의 장기는 이미 살아 있는 사람의 건강한 기능을 완전히 잃어버린 상태라는 것이다. 어느 한 부분이 병들었다고 말할 수도 없을 만큼 모든 장기가 제 기능을 잃어버렸다는 것이었다. 그런 할머니가 아직 살아 있다는 것은 기적이라고…… 미국 존스홉킨스에서 공부한 젊은 의사가 말했다. 할머니는 다시 집으로 돌아왔다. 이번에는 큰외삼촌이 할머니를 더 병원에 계시게 해야 한다고 우겼지만 할머니가 집으로 가겠다고 한 모양이었다. 그때 마당에는 철 이른 벚꽃이 떨어지고 있었다. 큰외삼촌 외숙모 그리고 막내외숙모까지 다시 집 안으로 모여들었다. 나는 그때 날마다, 어머니! 어머니 돌아가시면 안 돼요! 부르짖는 식구들 소리에 아침을 맞았다. 할머니의 얼굴은 초콜릿 빛이었다.

"준비를 해야 되겠네…… 아무래도 오늘 밤을 넘기지 못하실 것 같아……."

어느 날 밤 아버지가 침통한 목소리로 입을 열자, 응원단장의 손짓에 맞추는 '붉은 악마'들처럼 식구들이 동시에 아이고오오오 곡소리를 내며 엎어졌다. 그때 할머니를 빙 둘러선 식구들 중에서 엎어져 울거나 우는 시늉을 내지 않고 그녀를 바라보고 있던 것은 나뿐이었는데 나는 분명 그녀가 그 초콜릿 빛 입술을 달싹이며 무언가 중얼거리는 것을 보게 되었다. 막내외삼촌이 죽던 날 엄마가 들던 것보다 작은 것이기는 하겠지만 분명 같은 종류라는 직감이 스쳤다. 순간 서늘한 기운이 그 방을 가득 채웠다. 그것은 분명 어떤 징조였다. 그때 내 예감에 응하기라도 하듯이 부엌에서 비명 소리가 들렸다. 그것은 파출부 아주머니의 것이었다. 놀란 사람들이 달려가 보니 파출부 아주머니는 부엌에서 뒤뜰로 이어진 계단 밑에서 머리에 피를 흘리고 엎어져 있었다. 119구급대가 왔고 소란이 한바탕 집 안을 휩쓸었다. 그리고 나는 할머니가 일어나 앉는 것을 보았다.

"미음 가져와라! 아니 죽으로, 아니 밥 가져와!"

나는 방으로 돌아와 응급실로 실려 간 파출부 아주머니의 용태가 심각하리라는 것을 예측하고 있었다. 그리고 잠시 후 소식이 전해져 왔다. 아주머니가 뇌진탕으로 중태라는 것이었다.

행진은 계속되었다. 그날 저녁 다시 정 변호사가 왔고 할머니가 다시 유언장을 고쳤다는 말을 했다. 큰외삼촌은 할머니의 돈으로 벌였으나 배운 것도 없고 돈 아끼는 재주도 없어서 거의 망해버린 사업을 '시원하게' 부도 처리해버리고 아예 우리 집에 짐을 싸가지고 와서 할머니를 지키고 앉아 있었다. 할머니 곁에서 잠도 자고 할머니가 샤워를 하면 문 앞에서 속옷도 들고 서 있고 할머니 좋아하는 코미디 프로를 녹화해두었다가 할머니와 함께 보며 같이 웃었다. 어머니와 아버지는 다급한 표정으로 잠시 의논을 하더니 할머니 곁에 합

세했다. 막내외숙모만 다른 형제들의 눈총에 질려 잠시 주춤거리다가 그녀도 할머니의 방으로 들어가버렸다. 그들은 밥도 거기서 먹었고 잠도 거기서 잤다. 다 큰 어른들 여섯 명이 졸지에 한방에서 기거하게 된 것이다. 할머니가 웃으면 그들의 방에서 왁자한 웃음소리가 터져나왔고, 할머니가 고함을 치면 모두들 순한 강아지처럼 끙끙대며 침묵했다.

이번에는 다시 보름쯤의 시간이 지났다. 그동안 병든 남편과 대학생 아들을 두고 십 년 동안 우리 집에서 일해오던 착한 아주머니는 죽어버렸다. 나는 늘 집을 비우던 엄마 대신 우리에게 고구마도 삶아주고 누룽지도 끓여주던 뚱뚱하고 정 많던 그 아주머니를 생각하며 잠깐 울었다. 정 변호사가 달려와 할머니와 어머니 그리고 아버지와 함께 그녀의 보상을 마무리하는 논의들을 시작하고 있었다.

"그게 다 지 탓이라구. 아, 그 아줌마가 평소에도 좀 덜렁거리던 편이었잖아? 우리 집에서 하다못해 마당에 있는 개새끼까지도 그 계단에서 떨어진 건 한 놈도 없었다구!"

할머니가 외치자 모두들 그렇다고 했다.

"법적으로 우리는 어떤 보상도 해줄 수가 없는 거야. 없는 것들은 꼭 있는 사람들 보면 무슨 수를 써서라도 한 푼이라도 알겨내려고 하지…… 우린 절대 거기에 속아 넘어가서는 안 되는 거야…… 그건 없는 놈들이 흔히 쓰는 상투적 수법이라구."

　그리고 다시 보름이 지났다. 할머니는 다시금 앓아눕기 시작했다. 파출부 아주머니가 죽은 첫날, 밥을 먹었을 뿐 그녀는 다시 죽도 입에 대지 못했다. 부엌에는 새로운 파출부가 동네에서 우리 집을 두고 떠드는 불길한 소문을 들었지만 다 내 팔잔데 어떻게 하겠느냐, 는 찜찜한 얼굴로 죽 냄비를 휘휘 젓고 있었다. 엄마 아버지, 외삼촌 외숙모 그리고 젊은 과부 외숙모 이렇게 여섯 명이 저마다 숟가락을 들고 할머니 입에 죽을 한 숟갈이라도 더 먹이려고 제각기 죽 그릇과 숟가락을 들고 이리저리 동요하고 있었다.

　"얘, 동생 데리고 이리 와봐라! 얘들아! 할머니가 할머니가……"

　어느 날 수학책을 펴놓고 음악을 듣고 있는데 어머니가 외치는 소리가 들렸다. 할머니가 돌아가시려고 한다는 말일 것이다. 나는 일부러 여동생을 남겨두고 할머니 방으로 내려갔다.

　"오늘을 넘기지 못하실 것 같습니다."

　아버지가 말을 꺼내놓고 석 달 전에도 보름 전에도 똑같은

말을 했다는 걸 문득 깨달았는지,

"이번에는 정말로 준비를 해야 할 것 같다"라고 덧붙였다. 아버지의 신호에 따라 외삼촌과 숙모들과 어머니가 엎어져 울기 시작했다. 나는 할머니의 입술을, 생명이라고는 조금도 붙어 있을 것 같지 않은 그녀의 흙빛 입술을 주시하고 있었다. 그 순간 곧 숨이 넘어갈 것 같던 할머니가 무서운 기세로 나를 바라보았다. 무엇인가가 빠르게 내 몸을 빠져나가는 것 같다, 라고 생각하는 순간 나는 앞으로 휘익 고꾸라졌다. 비명도 지를 수 없었다. 식구들은 아마도 내가 울고 있다고 생각했는지 아무도 나를 거들떠보는 이가 없었다. 평소에 나를 조금이라도 아는 사람이라면, 내가 할머니가 죽는다고 울 아이가 아니라는 것을 알 터인데…… 등골에서부터 어깨뼈 쪽으로 숨이 막혀 오면서 쇄골이 몹시 아팠다.

"씨발 놔! 놔! 씨발! 놓으라구 좆같이!"

무엇을 향해서였는지 누구를 향해서 놓으라고 외쳐댔는지에 대해서는 나는 아직도 스스로에게조차 그 대답을 하지 못하고 있다. 다만 내가 한때 강남의 뒷골목에서 '노는' 부류의 아이였던 것이 다행이었다는 생각은 한참 후에 했다. 열여섯 살 때였던가 사내 녀석들 셋이서 혼자 걸어가는 나를 빙 둘러싸고 그중의 한 치가 내 팔을 붙들었을 때 나는 그렇게 외치면서 그 공포를 빠져나온 일이 있었다. 무엇인가, 나를 앞으로 고꾸라지게 했던 그 무엇인가와의 실랑이가 계속되고 있는 느낌이 나를 사로잡았다. 그리고 나를 사로잡아 고꾸라지게 했던 그 힘이 나를 빠져나간다, 고 생각하는 순간 당겨졌던 활처럼 굽어 있던 내 허리가 용수철처럼 빠르게 펴졌고 누군가가 퍽 하고 머리를 방바닥에 부딪히는 소리가 났다. 큰외숙모였다.

큰외숙모의 장례를 치르는 동안 나는 커다란 의문에 사로잡혔다. 그 힘은, 분명 내 쇄골과 등뼈를 마비시키며 나를 숨막히게 했던, 어쩌면 나를 지금은 차가운 땅에 묻어버렸을 그 힘은 대체 어디서 온 것일까…… 내가 아는 것은 그 힘이 분명 할머니에게서 왔다는 것뿐이었다. 내가 알 수 있는 것은 그것뿐이었다. 그 힘은, 그렇게까지 목숨 바쳐 자신만 생각하는 사람에게서, 가여운 사람을 가엾게 여기지 못하는 사람에게서, 가난해서 마음을 굽혔던 것도 사람의 영혼을 상하게 하는 일이지만 힘으로 남의 것을 빼앗는 일도 사실은 자신의 영혼을 상하게 하는 일이라는 것을 모르는 사람에게서, 자신을 지키기 위해서 꼭 남을 해칠 필요는 없고 그래서도 안 된다는 것을 믿지 않는 그런 사람에게서 나오는 힘이

라는 것을…… 큰외숙모의 기괴한 장례가 치러지는 와중에
도 할머니는 갈빗살을 뜯으며 깔깔거렸고 큰외삼촌은 할머
니의 곁에서 지난 몇 달 동안의 버릇대로 얼른 할머니를 따
라 웃다가 내가 지금 웃는 게 맞는 건지, 아니면 우는 게 유
리한 건지 헷갈린다는 표정이었다. 아버지는 할머니 곁에 붙
어 웃고 있다가 내가 나타나기만 하면 "넌 옷이 그게 뭐냐?
공부해!"라며 늘 하던 인사를 했다. 아버지가 내게 할 말은
평생 그것뿐이라는 듯했다. 아버지는 아마 내가 수영장에서
물에 빠져 죽어가고 있어도 그렇게 말할 것이었다. "옷이 그
게 뭐냐?" 그런데 옷이 그게 뭐냐는 말 뒤에 바로 공부하라
는 말이 뒤따라 이어지는 것은 논리학상, 그렇게 진술되어도
좋은 것인가, 아닌가?

　큰외숙모의 기괴한 장례까지 치르고 나자 제일 먼저 동요
를 일으킨 것은 막내외숙모였다. 그녀는 가방을 들었다 놓았
다 하며 망설이고 있는 듯했다. 그녀는 무언가가 있다는 것
을 눈치채고 있었다. 그건 물론 다른 식구들도 마찬가지였을
것이다. 다만 다른 식구들은 이미 살아온 세월이 너무 길어
서 제힘으로 할 수 있는 일이 아무것도 없으니 어찌할 수 없
었을 거고, 그녀는 빠져나갈 수도 있다는 것이 다를 뿐…….
그러나 화장실 앞에서 마주쳤을 때 나를 바라보는 그녀의

눈빛은 그러나 아직도 결심을 다 굳히지는 못한 것 같았다.

"이 집에 있기에는 외숙모는 너무 젊고 예쁘시지 않아요?"

내가 단도직입적으로 묻자 그녀는 애매하게 입꼬리를 일그러뜨리며 웃었다.

"……그나저나 내가 아는 성형외과 의사 하나 소개해줄까. 코만 좀 높이면 완벽하겠어! 턱도 좀 깎구…… 유방 키우는 건 좀 더 커서 해도 될 것 같구."

어머니와 아버지 그리고 큰외삼촌은 러시안룰렛 게임을 하는 도박사들처럼 엄숙한 표정이었다……. 결국 막내외숙모도 떠나지 못했다. 아버지와 어머니 그리고 큰외삼촌과 막내외숙모는 다시 할머니의 방으로 우우 몰려들어갔다. 그들의 젓가락에는 할머니가 좋아하는 갈빗살이 들려 있었다. 그들은 할머니가 웃으면 함께 웃고, 할머니가 호통을 치면 일제히 고개를 숙이고 가만히 있었다. 달라진 게 있다면 그들의 얼굴에 눈에 띄게 공포가 어렸다는 것이고, 그 공포를 감추려는 듯 표정은 더 딱딱해지고 있었다. 그리고 다시 보름이 지나갔다.

할머니는 이번에도 꽥꽥거리며 숨을 몰아쉬고 있었다. 그녀의 흙빛 입술은 열기에 들떠 있었고 아버지가 다시 말했다.

"이번에는 정말로 준비들을 해야 할 것 같다……."

그 구호에는 힘이 좀 빠져 있었다. 아버지 스스로도 이번에는 정말일까, 하는 의구심을 지우지 못한 목소리였으니까. 그러나 응원단들은 여전히 같은 동작을 되풀이했다. 다시금 앞으로 고꾸라지는 경험을 하고 싶지 않았던 나는 슬며시 그 방을 빠져나왔다. 방에서는 내 청각장애인 여동생이 검푸른 눈만 끔벅거리며 열에 들떠 가쁜 숨을 몰아쉬고 있었다. 그리고 그 숨소리는 점점 더 가빠지고 있었다.

그 밤 나는 커피를 여섯 잔이나 마시며 늦도록 앉아 있었다. 하루 종일 집 안에서 할머니의 장단을 맞추어주던 응원단들도 잠이 들었을 시각이었다. 나는 열에 들뜬 여동생의 이마에 찬 물수건을 대어주고 나서 결심을 했다.

아버지는 벽에 기대어 졸고 있었고 큰외삼촌은 방구석에서 양복 윗저고리를 뒤집어쓰고, 막내외숙모는 문가에 기대어 졸고 있었다. 식구들의 배려로 낮에 수면제를 먹고 잠을 자두었던 어머니가 할머니의 손을 잡고 잠이 든 것도 아니고 깨어 있지도 않은 몽롱한 얼굴로 자리를 지키고 앉아 있었다.

나는 열려진 할머니 방의 문가에 서서 할머니의 흙빛 얼굴을 노려보았다. 할머니의 입술이 조금씩 달싹이고 있었다. 하지만 가쁜 숨 때문인지 그녀의 중얼거림 때문인지 입술을 뒤틀고 있었다. 나는 이 바보 같은 러시안룰렛 게임에 참여하고 싶은 마음은 조금도 없었다. 그러나 앓고 있는 동생의 얼굴이 다시 한 번 떠올랐고, 어린 시절 2층 베란다에 서서 하루 종일 나를 기다리던 그 애를 두고 내가 한 맹세도 기억해냈다. 지난번처럼 넘어지지 않으려고 두 손으로 문고리를 부여잡고 나는 그녀를 노려보며 낮게 말했다.

'안 돼! 절대로 안 돼! 내 여동생에게 손 하나라도 댄다면 그땐 내가 가만두지 않겠어! 놔! 걔를 놔주라구! 씨팔 좆같이!'

마음으로만 중얼거린 것이었지만 어디서 그런 용기가 나왔는지 지금 생각해도 이상하기는 하다. 순간 할머니의 허리가 털썩하고 요동을 쳤다. 나는 내 무섭고 엽기적인 추리가 맞아떨어지고 있다는 쾌감과 끔찍함, 그 상반된 두 감정을 동시에 생생하게 맛보며 슬그머니 2층으로 올라왔다.

여동생은 잠들어 있었다. 나는 확신을 가지고 손을 뻗어 여동생의 잠든 이마에 손을 대보았다. 열은 식어 있었다.

"어머니가 무언가 말씀을 하시고 싶어 해! ……살아나셨어!"

아래층에서 호들갑스레 외치는 어머니의 목소리가 들렸다.

어머니의 외침에는 기쁨의 기색 따위는 없었다. 나는 그 목소리에서 다만 이제 그들도 거부할 수 없는 진부한 상황에 대한 권태와 실의가 깃들어 있음을 느꼈을 뿐이었다. 나는 이불을 뒤집어쓰고 알 수 없는 공포와 싸우며 새벽녘 겨우 잠이 들었다. 다음 날 아침 우리 집에 온 지 3년이 된 진돗개 마당이가 정원 한구석에서 입에 거품을 물고 죽은 채 발견되었다.

할머니는 이번에는 일어나 앉지는 못했다. 죽을 가져오라는 소리도 작았다. 그래도 그녀의 의식은 얼굴빛과 함께 돌아왔다. 정 변호사가 다시 왔다. 정 변호사는 집안 식구들의 얼굴을 바라보더니 흡사 유령들과 상대하는 것처럼 당황스러워했다. 나는 그도 우리 할머니와 똑같은 부류의 사람이라고 확신했었는데 조금 나은 사람인가 하는 의문이 들었다. 그는 서둘러 할머니와 이야기를 하고는 내가 끓여다 주는 커피도 마시지 않고 서둘러 집을 빠져나가버렸다. 그의 번들거리는 대머리가 달빛 속에서 환했다.

그리고 일주일이 지났다. 할머니는 여전히 죽지 않았다. 한번 고비를 넘겼는데 이번에는 부엌 뒤쪽 계단 아래에서 죽은 도둑고양이가 발견되었다. 가끔씩 우리 집 담을 타고 넘어 갈

빗집 쪽으로 사라지던 고양이였다. 그날 이후 나는 할머니가 한 고비를 넘길 때마다 집 안을 뒤지기 시작했다. 어떤 날은 뒤뜰에서 어린 까치 몇 마리의 주검이 발견되기도 했고 어떤 날은 고양이가 대문 앞에 죽어 있기도 했다. 그리고 그럴 때마다 할머니는 미음을 한 숟가락씩 넘겼다.

나는 2층 내 방에서 이 글을 쓰고 있다. 여동생은 파리한 얼굴로 피로함을 감추지 않고 침대에 기대어 있다. 그녀의 손에는 여전히 책이 들려 있었지만 그녀가 몰두해서 그것을 읽는 기색은 아니었다. 나는 불길함을 느끼고 있다. 이 집에 들어서는 어떤 것들도 그 생명을 내놓기 전에는 이 집을 빠져나가지 못할 것이다. 아버지와 어머니, 큰외삼촌과 막내외숙모 그리고 여동생과 나…… 우리들의 현존 자체가 할머니의 죽음을 가로막고 있다. 어른들과는 달리 우리가 할머니에게 호의적이지 않다 해도 상황은 마찬가지이다. 이 글을 쓰고 있는 지금도 아래층에서 울음소리가 들려왔다. 그 울음소리는 죽지도 않는 할머니를 위한 것이 아니라, 할머니를 따라 죽지도 살지도 못하는 자기 자신들의 처지를 슬퍼하는 것처럼 구슬프고 처량하게 들렸다. 나는 안다. 할머니는 그래도 죽지 않을 것이다. 나는 익숙한 시체 청소부처럼 재빠르게 머릿속으로 집 안을 뒤져본다. 이번에는 또 누구의 차례일까, 개미 떼이거나 바퀴벌레 떼이거나 아니면 장마철에 부쩍 늘어난 파리 떼…… 그도 아니면 지난봄 가뭄을 견디어내며 이제 막 노란 열매를 달고 선 살구나무 혹은 여동생이 심어놓은 과꽃 무더기…… 이 세상에는 살아 있는 것들이 많다. 할머니보다 약한 것들도 너무도 많다. 할머니는 그래서 오늘도 죽지 않는다. 장마가 시작된 이래, 오래된 우리 집 정원에는 습기 차고 더운 공기가 진득하게 차 있다. 무언가 썩어가는 냄새가 난다. 비가 오면 잠시 냄새는 사라졌다가, 싱싱하게 고개를 드는 자운영이나 여뀌의 풋풋한 내음을 압살하며 냄새는 다시 시작된다. 아주 오래전부터 아주 서서히, 그러나 격렬하게 썩어가는 냄새, ……내 말을 믿어줄 분들, 그리고 나와 내 여동생이 살아날 방도를 아는 분들의 전갈을 바란다. 내 이메일 주소는, wildcat@hellchosun.com이다.

우리는 누구이며
어디서 와서
어디로 가는가

1

　약속된 장소로 출발하려고 자동차 문을 여는데, 내가 지금 만나기로 한 여자가 5년 전에 끈질기게 내게 전화를 걸어왔던 그 여자가 아닌가 하는 생각이 문득 들었다. 그러고 보니 미국에서 왔다는 여자가 전화를 걸어 나를 꼭 만나야 한다고 말했을 때 내가 별 이유도 묻지 않고 순순히 그러마고 했던 것이 나로서도 좀 이상하기는 했다. 보통 독자라거나, 인터뷰를 요청한다거나 혹은 출판사 사람들이라 해도 나는 웬만하면 낯선 사람들을 만나지 않는다. 처음에는 불쾌하게 여기던 사람들도 내가 모두에게 공평히 그러고 있다는 사실을 알고는 면전에서 대놓고 불평하지 않는 것도 사실이었다. 글쎄, 미국에서 딸의 연주 여행 때문에 들렀다는 그녀의 말 때문이었을까. 미국처럼 먼 나라에서 왔으니까, 잠깐 만난다 해도 언젠가 별생각 없이 만나주었던 어떤 중년의 여자처럼 낮이나 밤이나 내게 전화를 걸어 신세를 한탄할 위험이 없어서? 하지만 전화를 받았을 때 그녀의 차분한 목소리에서 내가 느꼈던 인상은 그녀가 무언가 아주 긴요한 이야기를 하고 싶어 하고 있으며 그것이 내게도 중요한 일일지도 모른다는 것이었다. 하지만 나는 그때 막내 아이의 기저귀를 갈아주면서, 뭐 자신의 기막힌 인생사를 책으로 써달라든가 하는 일이겠지, 취재하는 셈치고 만나보지 뭐, 생각하고 찹쌀떡 같은 아이의 엉덩이를 톡톡 두드리고 말았다. 하지만 그럼에도 불구하고 오늘 내가 그녀와의 약속 장소로 가기 위해 한 시간이나 달려가는 것에는 무언가 알 수 없는 이끌림이 분명 있었다.

2

호텔의 커피숍은 한산해서 나는 그녀를 금방 알아볼 수

있었다. 오십이 좀 넘었을까. 여자는 갸름한 윤곽의 고운 얼굴이었고 작은 체구에 작고 둥그런 어깨를 가지고 있었다. 벨벳의 무늬가 도드라진 자줏빛 투피스 안으로 광택이 있는 연분홍 블라우스의 리본이 단정했다. 머리는 단발보다 약간 짧았지만 웨이브가 심하지 않은 파마를 드라이어로 잘 펴서 상스러워 보이지 않았으며 양쪽 손에 비취와 다이아몬드로 보이는 큼직한 반지가 끼워져 있었다. 흔히 양갓집 규수의 엄마를 만나러 간다면 십중팔구는 저런 엄마가 나올 것이다. 간단히 인사를 하고 앉자 그녀는 자신의 딸이 어제 예술의전당에서 피아노 콘서트를 했다는 말을 꺼냈다. 갑자기 이 여자가 나를 만나자고 한 이유가 딸과 관계가 있는 걸까 하는 생각이 들었지만 잠자코 있었다. 사귀는 남자의 어머니에게 선이라도 보이기 위해 나온 것처럼 나는 순간 어색해졌다.

"제가 왜 만나자고 했는지 아세요?"

여자가 물끄러미 나를 바라보고 있다가 물었다. 순간 5년 전의 전화 통화가 생각났다. 차 문을 열기 전 나를 스쳐 지나갔던 그 예감, 순간 설마, 라는 생각이 꼬리를 물었고 나는 그냥 웃었다.

"전화하는 사람들을 자주 만나주지 않는다고 들었는데 선뜻 오겠다고 해서 오히려 제가 놀랐어요…… 제 목소리를 기억하신 거였나요?"

사람이란 건 참 이상하다. 왜 차 문을 열기 전 그 여자가 바로 그 여자라는 생각이 스쳐 지나갔을까. 나는 이 만남에 전혀 신경을 쓰지 않았었고 그저 수첩에 오후 2시라고 적혀 있어서 기계적으로 나왔을 뿐이었다.

"그럼 5년 전에 그……."

"그래요 제가 바로 5년 전에 전화를 걸었던 최인옥이라는 사람입니다."

여자가 빙그레 웃었다. 실수였구나, 하는 생각이 스쳐갔다. 그건 5년 전에 이미 전화로 끝낸 일이었는데 싶었던 것이다.

"어쨌든 이렇게 나와주셔서 고마워요. 왜 그러느냐고 묻지도 않고 이렇게 나와주니 확실히 우리 사이에 뭐가 있긴 있나 봐요."

여자가 말했다. 나는 낚싯바늘을 물 생각이 전혀 없는 물고기처럼 잠깐 어깨를 으쓱해 보였다.

본론을 꺼내기라도 하겠다는 것처럼 여자가 잠시 침묵했다. 5년 전 전화를 받았을 때의 생각들이 잠시 나를 스치고 지나갔다. 5년 전…… 그런데 갑자기 5년 전 처음 그녀의 전화를 받았을 때 내가 어디서 살고 있었더라, 싶어졌다. 기억은 대개 영상처럼 떠오르는데 그 영상이 떠오르지 않는 것이었다. 지금 이 마당에 그게 뭐가 중요하지, 스스로에게 묻기도 했지만 소리는 나오고 화면은 없는 TV를 보는 것처럼 나는 갑갑해졌다. 그러니까 5년 전이면 아마도 수유리였을 것이다. 연도를 따져보자면 나는 그때 거기 살고 있었으니까. 그런데 이상하게도 내가 막 대학을 졸업하고 잠시 근무했던, 허름한 출판사의 사무실이 떠올랐다. 페인트칠이 벗겨진 창 앞에 있던 책상에서 전화를 받고 있던 내 모습이. 하지만 그건 아니다. 그건 5년 전이 아니라 벌써 15년 전의 이야기였다.

"그동안 우리는 계속 지켜보고 있었어요. 이런저런 소식도 들었고 또 지난해 귀국했을 때는 제 동생들과 함께 교보문고에 가서 독자들에게 사인한 책을 주는 걸 멀리서 지켜보기도 했었죠. 누구와 결혼했는지 소식도 들었고."

여자는 담담하게 말을 꺼냈다. 대도시의 익명성에 길들어 자란 탓인지, 그저 나의 성격 탓인지 나는 누가 나를 아는 것이 싫었다. 집 앞 구멍가게의 아주머니가 내가 밤마다 소주를 몇 병씩 사가는지 아는 체하기 시작하면 나는 아무리 힘이 들어도 다른 구멍가게로 물건을 사러 갔다. 백화점이나 동네 미장원에서 이름을 물으면 나는 주민등록증이나 의료보험증을 내야 하지 않는 한 가명을 말한다. 이런 성격은 소설을 쓰고 이름이 알려진 후 더욱 심해졌다. 가끔 들르던 양품점에서 혹시 작가 공지영 씨 닮았다는 소리 많이 안 들으세요? 물었을 때, 나는 아니요, 그런 일은 한 번도 없었는데요…… 말끝을 흐리며 다시는 그 양품점에 가지 않았다. 그런데 5년 동안이나 나를 지켜보았다는 사람이 여기 내 앞에 있는 것이다.

"그러세요……."

"그래서 이번에 귀국한 길에 이제 그만 담판을 지으려고……."

나와 여자의 눈이 마주쳤다. 여자 역시 담판이라는 말이 좀 어색하다고 느꼈는지, 어색하게 미소를 지었다.

"저 그건 그때 이미 아니라고 말씀을 드린 것 같아요. ……저는 아니에요. 죄송하지만."

여자는 등을 뒤로 젖히며 갈색 소파에 기댔다. 여유 있는 미소를 지은 채였다.

"제 얼굴 보고 어떤 생각이 들었어요?"

여자는 이제부터 하나씩 하나씩 실마리를 풀어가려는 사람처럼 천천히 물었다. 나는 그제야 그녀의 얼굴을 살펴보았다. 자연스럽지만 진한 눈썹에 쌍꺼풀진 눈, 그리고 콧대부터 높은 코 그리고 입술…… 그녀의 얼굴 위로 자연스레 이모들의 얼굴이 겹쳐졌다. 그래, 그녀는 이모들의 얼굴과 닮았다. 머리카락이 노랗고 피부가 희고 콧대가 높은 이국적인 외가의 사람들과 섞어놓았다 해도 별로 이상할 것이 없을 것 같았다. 하지만 나는 우리 어머니와 닮지 않았다. 그렇다고 아버지를 닮은 것도 아니다. 나는 형제들과도 닮지 않았다. 그렇다고 나를 제외한 나머지 두 형제들이 엄마나 아빠 혹은 서로를 닮은 것은 아니다. 가만히 가족사진을 들여다보면 비슷한 분위기가 있긴 하지만 그건 어디까지나 가족사진이라는 선입견 속에서만 가능한 일이었다. 그래서 우리 자매들은 중고등학교 시절 오빠와 함께 집을 나서지 않았다. 형제라고 보아주는 사람들은 아무도 없었고 애인 사이냐고 놀림을 당할 게 뻔했기 때문이다. 언니 역시 나와 함께 있으면 자매예요? 하는 질문을 받은 적이 없다. 엄마가 가끔 같은 모양의 옷을 우리 자매에게 사주고는 푸념하는 것도 이상한 일이 아니었다. 언니에게 어울리면 내게는 우스꽝스러웠고 내게 어울리면 언니에게는 도무지 먹혀들지 않았다. 물론 그래서 편리한 점도 있었다. 가끔 너무도 내게 어울리지 않는 옷을 사거나 선물 받으면 지체 없이 그 옷을 언니에게 보냈다. 그러면 그게 언니에게 어울릴지 아닐지는 물어보지 않아도 됐다. 언니 역시 외국 생활 중 내게 옷을 사 보낼 때면 종업원에게 물어본다고 했다. "제가 입으면 제일 안 어울릴 것 같은 옷은 뭐지요? 그걸 주세요."

"우리 둘을 보고 있노라면 누구나 닮았다는 생각을 하게 되겠지요. 사진을 보고 모두들 말하더군요. 정말 이렇게 닮을 수는 없다고……."

5년 전의 일이 생각났다. 그때도 그녀는 말했었다.

"우리 형제들의 얼굴을 본다면 우리가 왜 이렇게 전화를 하는지 알게 될 거예요."

나는 잠시 생각을 가다듬었다. 이건 분명 5년 전에 끝난 일이었다.

"저도 생각을 해보았는데요. 저희 형제들에게는 유전되는 점이 하나 있습니다. 목덜미에 나 있는 붉은 점이죠. 아버지에게도 있고 언니와 제게도 있습니다. 심지어 제가 낳은 두 아이에게도 있어요. 타원형의 반점이지요. 그러니 더 이상 그 문제는 말하실 필요가 없을 것 같아요."

여자는 계속 야릇한 미소를 지은 채였다.

"점에 대해서는 5년 전에도 말했었죠? 점 하나 가지고 말하기에는 너무 큰 문제예요 이건……."

나는 식은 커피를 한 모금 삼켰다.

"이상한 게 너무 많아요. 전에도 말씀드렸지만 왜 출생지가 서울이 아니라 부산으로 되어 있느냐는 말이지요? 게다가 출생신고도 원래 생일보다 6개월이나 늦었어요. 이상하지 않아요?"

"그건 저번에도 말씀드렸다시피 아버지가 부산에 있는 육군 병기 학교에 잠시 출강하시느라고 우리 식구가 모두 부산으로 내려갔고 거기서 제가 태어났고 그리고…… 제가 태어난 지 한 달 반 만에 다시 아버지가 서울로 발령을 받는 바람에 서울로 왔으니까요. 저희 식구 중 누가 부산에 연고가 있는 것도 아니고 제가 거기서 어린 시절을 보낸 것도 아니고…… 그런 북새통이라 출생신고가 늦은 거라고 부모님께서 제가 어릴 때부터 말씀하셨어요."

"그래요. 그 이야기는 5년 전에 했어요. 그런데 어린 시절의 사진 중에서 제일 어린 사진이 두 살 무렵의 것이라고 했죠? 왜 그 전 사진이 하나도 없는 거지요? 이상하지 않아요?"

갑자기 에어컨이 작동되는 실내가 덥게 느껴지기 시작했다. 5년 전에도 했던 이야기가 다시 반복되고 있었다. 나는 다시 한 번 그녀의 얼굴을 바라보았다. 내가 왜 여기 앉아서 이런 대화를 나누고 있어야 하는지 알 수 없었다.

"그건 전에도 말씀드렸다시피 아버지가 군인 신분이셔서 월급이 적었기 때문에 제게 사진을 찍어줄 여력이 없어서라고 말씀드렸잖아요."

"아니지요. 예쁜 막내딸의 사진이 없다는 게 이상하지 않아요? 아무리 그래도 백일이나 돌 사진은 찍어주는 게 보통이에요. 근데 그게 하나도 없다면서요."

나는 대답하지 않았다. 그건 나도 알고 있었다. 언니나 오빠의 백일과 돌 사진은 있었지만 내 것은 없었다. 내가 태어난 이후 우리 집 형편이 많이 나아졌는데도 그랬다. 보통 가난했기 때문에 큰애나 둘째는 못해주어도 막내는 사진을 찍어주는 게 우리네 가족사에서는 어울리는 일이다.

그랬다. 이상한 일이었다. 남들이 말하던 예쁜, 막내딸…… 예쁜 막내딸…… 우리 어머니는 이 예쁜 막내딸의 사진을 찍어주지 않았다.

"그러면 그 무렵의 사진이라도 볼 수 있을까요? 제가 맏이였으니 저는 그때 열 살이었고 아이 적 모습을 본다면 기억이 더 확실할 거예요."

"지난번에 어머님 댁이 15년 만에 이사를 하셨는데 하필 그때 제 어린 시절의 앨범이 모두 분실되었어요. 공교롭게 언니 오빠들 앨범 말고 제 것만요…… 그래서 언니 오빠와 함께 끼어 있는 사진 말고 제 어린 시절 사진은 하나도 남아 있지 않아요."

무언가 내가 점점 궁색해지는 느낌이 된다, 이상하다, 느끼며 나는 자신 없이 대답했다.

"그때가 혹시 제가 전화를 처음 걸었던 그 무렵이 아니었나요? 그 말씀을 드렸더니 어머니가 몹시 화를 내셨다고 했지요?"

그러고 보니 그랬다. 오래도록 사시던 집에서 어머니가 이사를 하신 것이 5년 전쯤이었다. 그리고 그때 공교롭게도 내 앨범만이 분실되었다. 화는 났지만 그것이 이번 일과 연관이 있을 거라는 것은 한 번도 생각해보지 않았었다. 그런데 말을 듣고 나자 정말 우리 어머니가 내 과거의 어떤 것들을 지우기 위해 내 앨범만 유독 없애버릴 수도 있었다는 추리도 가능하겠구나 싶었다.

"제가 말씀드릴 수 있는 건 댁께서 찾고 있는 사람이 제가 아니라는 겁니다. 길게 말씀드리기는 곤란하지만 가장 큰 이유는 우리 어머니는 설사 누가 아기를 맡긴다 해도 아이를 맡아 키우실 분이 아니라는 거예요. …… 이해 못하시겠지만 이것처럼 중요한 증거는 없어요."

나는 여자가 이해 못할 거라는 것을 예상하면서도 이렇게 말했다. 나 스스로도 이해 못할 말이었다. 누가 이런 생각이 가장 중요한 이유라고 생각했겠는가.

"우리도 이해해요. 만일 지금 우리가 나타난다면 얼마나 혼란스러울까, 그래서 고민도 많이 했어요⋯⋯."

"아뇨, 그래서 그러는 게 아니에요⋯⋯. 아까도 말씀드렸다시피 목덜미의 점도 있고 또 우리 어머니 성격이⋯⋯."

나는 입을 다물었다. 점 하나와 어머니의 성격⋯⋯ 그게 이 여자의 확신을 자를 만한 증거가 될 수 있을까?

"어머니 성격 때문에 아니라구요?"

나는 입맛을 다시며 그대로 앉아 있었다. 할 말이 없었다. 당장 우리 동네에 가서 앙케트 조사를 하면 우리 어머니는 동네 아주머니들에게 존경받는 인물 1위로 뽑힐 사람이었다. 1위가 아니더라도 최소한 3위 안에는 들 것이었다. 어머니는 친절하고 어머니는 경우 바르고 어머니는 품위 있는 할머니였다.

"좋아요. 그래 어쩌다가 절 잃어버린 동생이라고 생각하셨나요? 왜 동생을 잃어버리셨지요? 어쨌든 이것도 인연이라면 저도 궁금하군요."

이야기가 금방 끝날 것 같지 않았고 이왕 여기까지 나온 거 사연이나 물어보자 싶어 내가 물었다. 여자의 얼굴에 빙

그레 미소가 번졌다. 진작 그렇게 나오지, 어쩌면 그런 표정이 있었는지도 모른다.

"우리 어머니가 막내를 낳고 돌아가셨죠. ……그러니까 우리는 갑작스런 어머니의 죽음에 망연해 있었고 아버지 역시 막내 아기를 어쩔 줄 몰라 했지요. 어머니 아버지 모두 함경도에서 피난 내려온 실향민이라 우리에겐 친척도 하나 없었어요. 아시다시피 그때는 분유도 귀해서 일제 모리나가 분유를 사야 했는데 우리에겐 그럴 여유조차 없었지요……. 어머니는 돌아가시고 갓난아기는 밤새 울고 우리 여자 형제들이 밤새 쌀을 씹어 암죽을 만들어 먹였지요……. 우리가 다니던 성당의 마리아 할머니는 우리 형편을 듣고는 딱하다면서 마침 아기가 죽은 엄마가 있으니 그 집에 주자고 했어요. 우리는 정말 경황이 없었어요. 마리아 할머니라는 분이 그 아기를 당시 마산에 있었던 우리 집에서 데려다가 부산의 공씨 집안 젊은 군인에게 주었다고 했어요. 그리고 우리 식구들이 다시 정신을 차려 마리아 할머니를 찾았을 때 할머니는 그 공씨라는 젊은 군인이 가족들을 데리고 서울로 갔다고 말하더군요. 아이는 잘 크고 있으니 찾으려면 조금 더 큰 다음에 찾으라고 말이지요……."

"그래요?"

내가 물었다.

"그래요."

하기는 여자가 의심할 만도 하기는 한 것 같았다. 공씨, 부산, 군인 그리고 서울로 곧 가버린 것까지.

"아버지도 어머니를 잃은 충격에서 회복하셨고 세월이 좀 지났지요. 아마 아이가 초등학교 갈 무렵쯤 되었을 거예요. …… 우리는 이제는 아이를 데려오지 않는다 해도 멀리서나마 보기를 원했어요. 우리도 서울로 거주를 옮겼구요……. 그제야 수소문하러 다시 마산으로 내려가니까……. 마리아 할머니마저 한마디 말씀도 없이 돌아가신 거지요……."

"……."

"5년 전 아버지가 돌아가셨어요. 아버지는 돌아가시는 순간까지 막내딸 때문에 괴로워하셨어요. ……그때 아무리 힘들었어도 누군지도 모르는 사람들에게 맡기는 것이 아니었다고…… 아버지의 마지막 유언은 그거였지요. 무슨 수를 써서라도 막내 인향이…… 그러니까 인향이를 찾으라고 말이지요."

여자는 잠시 목이 메는지 말을 멈추고 손수건을 꺼내 들었다.

"그런데 아버지가 돌아가신 다음 날 우리는 신문에서 공지영 씨를 발견한 거지요. 그 책의 광고사진 말이에요. 공씨가 어디 흔한 성이던가요? 게다가 그 사진은 젊은 시절의 내 모습을 빼닮았더군요. ……우리는 조사하기 시작했어요. ……기가 막히게도 우리 막내와 같은 1963년 1월생이더군요. 생일이 약간 차이 나긴 하지만 그거야 얼마든지 있을 수 있는 일이고 게다가 부산 출생으로 신고가 되어 있고…… 그래서 전화를 걸었더니 아버지가 군인이었다고 하셨죠? 어머니가 한때 성당에 다니셨다고? 그때 우리는 생각했어요. 이건 분명 돌아가신 아버지가 천국에서 보내신 메시지라고 말이지요."

여자는 말을 더 잇기가 힘든지 손수건을 눈에 대고 한참 그 자세로 있었다.

"그 여자아이의 이름이 인향이었나요?"

"그래요. ……영세명은 테레사예요."

여자는 손수건으로 눈가를 훔쳤다. 인향이. 지영이. 인향이. 지영이…… 하기는 그저 사람을 잘못 보셨습니다, 하고 말기에는 많은 일들이 잘 짜인 각본처럼 일어나기는 했네, 싶었다.

"마리아라고 했죠?"

여자가 물었다. 아 예, 하고 대답하면서 내가 만일 최인향이라면 영세를 두 번씩이나 받았단 말인가, 싶자 나도 좀 이상한 기분이 들었다.

"혼자서만 성당에 나간다고 했죠?"

"예, 어머니가 예전에……."

"나는 그것도 이상했어요. 어머니가 천주교 신자이셨기 때문에 마리아 할머니라는 분과 연결이 된 것 같고."

"아, 아니 어머니는 저를 낳을 무렵에는 성당에 나가시지 않으셨어요. 그건 결혼 전에……."

"어쨌든 다니셨던 거잖아요. ……그러니 마리아 할머니라는 분과 연락도 될 수 있었던 거고…… 우리 집안은 천주교 신자예요. 5대째 내려오는 집안이죠. 지영 씨도 천주교 신자라는 말을 듣고 나는 생각했어요, 피는 역시 속이지 못하는구나. 그게 아니고서야 집안에서 유독 혼자 성당에 나갈 이유가 있겠어요?"

그것도 그럴려면 그럴 수 있는 일이었다. 뭐 이런 우연이 있어, 싶게 정황은 척척 맞아떨어져갔다. 거액의 유산 문제만 없힌다면 할리우드 영화 소재감이군, 농담처럼 스쳐가는 생각의 꼬리를 물고 알 수 없는 소름이 돋아났다. 나는 팔뚝을 쓸어내렸다. 그러니 내가 정말 공지영이 아니라 최인향이라는 여자라면…… 내가 공지영 마리아가 아니라 최인향 테레사라면…… 그러자 내 팔뚝의 피들이 일제히 둘로 갈라져

흐르는 듯했고 몸 전체가 약간 부어오르는 듯도 했다. 5년 전의 혼란이 다시 내게로 엄습했다. 이게 출생에 관한 문제가 아니라 살인 사건에 대한 추궁이라 해도 내게는 빠져나갈 알리바이가 별로 없겠다는 생각이 들었다. 그 여자는 이렇게 많은 개연성을 들이대는데 내게는 아니라고 할 증거가 없는 것이다. 아니 없는 정도가 아니라 나 역시 의심하고 있었다. 나도 내내 물어왔던 것이다. 나 진짜 우리 엄마 딸 맞아? 하지만 5년 전의 전화 이후 나는 스스로 그 일에 대해 마음을 정리했다. 가끔 거울 속에서 어머니의 윤곽을 희미하게 발견하기도 했고 사촌들의 얼굴에서 내 모습을 찾아낼 수도 있었다. 그리고 무엇보다 내가 컸고 아이의 엄마가 되었고 그래서 정말 우리 어머니의 친딸이 맞을까 고민할 일이 사라져버린 것이 무엇보다 큰 이유였다.

"이렇게 우연들이 겹쳐지는데 그걸 그냥 우연이라고 할 수 있나요?"

여자가 답답하다는 듯이 말했다.

"게다가 우리가 이 일을 밝혀서 뭘 어쩌자는 것도 아니잖아요. 우린 그냥 동생이 이렇게 잘 자라주었구나 아는 것만으로도 그걸 확인하는 것만으로도 행복할 거예요. ……그저 가끔 만나고 그저 가끔 연락하고……."

나는 아무것도 모르겠는 기분이었다. 언젠가 자신과 내가 서로 사랑한다고 우기던 남자의 얼굴이 떠올랐다. 남자는 내가 자신을 사랑하는 것이 분명한 이유를 열 개쯤 댔다. 왜 하필 내가 점심을 먹으러 갈 때 거기 서 있었느냐, 왜 그때 아무도 없는 출입문에 혼자 서 있다가 내가 저녁을 살까요, 하니까 따라왔느냐, 그 모임에서 왜 자신을 그렇게 애처로운 눈빛으로 쳐다보았느냐, ……그건 그때 친구가 온다길래 서 있었던 거고, 그건 그날 엄마랑 싸워서 집에 가기가 싫었는데 당신이 나타나 저녁을 사겠다니 아무 생각 없이 따라갔던 것뿐이고 모임에서 애처롭게 쳐다봤는지 아닌지 기억도 안 난다, 며 실랑이하던 그 상황 같았다. 그 남자도 말했던 것 같다. 아니에요, 스스로를 속이지 마세요, 분명 당신은 절 사랑하고 있어요. ……그때 나는 생각했었다. 내가 정말 이 남자를 사랑하나? 모든 것이 불분명했고 혼란스러웠다. 좋아요, 내가 말했었다. 내가 그렇다고 치죠. 그러면 당신이 날 사랑한다는 증거는 뭐예요? 남자가 웃었다. 그건 간단하죠. 난 당신을 사랑하니까요. ……그게 단가요? 그게 다지 뭐가 있어요. 남자는 이제 네가 드디어 내 손에 넘어오는군 하는 표정으로 웃었다. 나는 내가 자기를 사랑하는 게 분명하다고 우기는 그 남자와 끝내 결혼까지 했었다. 그리고 그 결혼은

예상대로 불행했다.

"어쨌든, 전 아닌 것 같아요⋯⋯."

"글쎄 아무리 아니라고 우겨도 여기 이렇게 정황들이 있잖아요. 이렇게 맞아떨어질 수가 있어요?"

여자가 자신 있게 말했다. 그건 그랬다.

"왜 내가 동생이 아닐 수도 있다는 가정으로 동생을 좀 더 수소문해보지 않으셨나요. 그러니까 경찰서에 찾아가본다든지⋯⋯ 뭐 요즘 잃어버린 형제들 찾잖아요. TV에 나가실 수도 있는 거고⋯⋯ 그래서 찾아낸 것이 다시 나라면 그땐 나도 어쩔 수 없겠지요."

"그렇게 하려고도 했어요. ⋯⋯그런데, 솔직히 찾았다 싶으니까 더 찾을 노력을 못하겠어요. ⋯⋯ 찾은 거라고 생각했으니까. 이제 그걸 확인하고 그러면 된다고 생각하니까⋯⋯."

여자는 조금 힘이 빠지는 것 같았다. 그러자 나는 내가 정말 그 여자의 동생일까 봐 문득 겁이 나기 시작했다.

3

5년 전 몇 번 그녀의 전화를 받고 나서, 내가 혼란에 빠졌던 것은 왜였을까? 서른세 살짜리 다 큰 어른인 나에게 그런 말들이 왜 그렇게 충격이 되었을까…… 아마도, 그건 오랫동안 나 역시 그런 생각을 해왔었기 때문이었을 것이다. 그녀의 말대로 호적이 6개월 늦게 신고되어 있는 것도 그랬고, 내 백일이나 돌 사진이 없는 것도 그랬고 내가 어머니나 아버지 중 누구도 닮지 않았다는 사실도 그걸 부추겼다. 하지만 무엇보다 사춘기 무렵 열렬하게 내가 친딸이 아닐지도 모른다는 의구심을 가졌던, 그 기억이 떠올라왔던 것이 제일 힘들었다. 다 커서 아이까지 둔 여자가 나 친딸 맞아, 물어보는 것도 우스웠지만 나는 소설에 필요한 정황인 것처럼 꾸며 내 출생을 목격했을 만한 이들에게 전화를 걸었다. 하나는 언니였고 하나는 이모였다.

─그래, 내가 그때 일곱 살이었는데 아빠가 아기 낳았다고 오라고 해서 준이랑 내가 가보니까 아기가 있더라…… 분명 보았지. 그게 너였어. 왜?

─글쎄 내가 여학교 다닐 때였는데 방학 때 부산에 가니까 니네 엄마, 그러니까 큰언니가 만삭이 되어 있었던 게 기억나. 그때 니네 엄마 고생 많이 했다. 근데 왜?

그들의 대답이 너무 태연했으므로 몇 번 확인을 하고 나는 그 일을 더 이상 염두에 두지 않기로 결정했다. 그래서 다시 전화가 걸려 왔을 때 나는 냉정할 수 있었다.

　—저는 아닙니다. 그러니 다시는 전화하지 말아주세요.

　하지만 내가 냉정할 수 있었던 것만은 아니었다. 검은 구름이 비를 부르고 동풍이 폭풍을 부르듯, 기억은 그날부터 마당에 널어둔 색색의 빨래처럼 나부꼈다.

　돌멩이처럼 단단하게 웅크리고 있는 어린 계집애가 내 안에서 고개를 들었다. 그때 나와 함께 살던 남편은 말했다. 넌 나쁜 여자야, 난 너처럼 나쁜 여자를 본 일조차 없어!

　전화는 그 무렵 걸려왔다. 그게 수유리임이 분명했다. 나는 그때 거기서 그 남편과 살았으니까. 그 무렵, 어머니의 집이 오랜만에 이사를 하는 바람에 어린 시절의 일기장들이 우수수 쏟아져 펼쳐졌다. 나쁜 계집애! 나쁜 여자! 나쁜 계집애! 나쁜 여자! ……나는 그렇지 않아, 라고 말하고 있었지만 내 입술은 점점 더 자신 없어졌다. 나는 죽을힘을 다해 공부를 했고 죽을힘을 다해 요리를 했다. 나는 죽을힘을 다해 착해지고 싶었고 죽을힘을 다해 좋은 아내가 되고 싶었다. 내가 나쁘지 않다는 것을 증명할 방법은 그것밖에 없었다. 그러니 누군가의 손가락질을 받을 만한 일을 한다는 것은 있을 수 없었다. 나는 모범생이어야 했고 선생님들의 눈 밖에 나면 안 되었고 노래를 부르면 노래를 그림을 그리면 그림을 가장 잘 그리지 않으면 안 되었다. 트집거리가 잡히는 날에는, 만일 조금이라도 의심받을 만한 내 행실이 발각된다면 그들이 말할 테니까. 거봐! 내가 뭐랬어. 넌 나쁜 계집애라니까. ……내가 나쁘다고 해서 그들이 나를 죽이려는 것도 아닐 텐데 죽는다 해도 나는 나쁜 여자이기는 싫었다. 엄마 나 잘할게, 엄마 내가 착해질게…… 내가 잘못했어요, 엄마, 제발 나를 미워하지 말아요! 나는 벼랑 끝에 홀로 서 있는 기분이었다. 돌아서서 그들과 마주치든지 아니면 뛰어내리는 수밖에 없었다. 하지만 돌아가기는 싫었다. 그것이 죽음이라 해도 하는 수 없었다. 내가 뭘 잘못했어! 누가 낳아달라고 했어? 누가 그렇게 결혼하자고 했었어? ……눈을 질끈 감지도 못하고 뛰어내리는 꼴을 내 뒤통수에서 언제나 나 자신을 비추고 있었던 카메라로 바라보면서 나는 몸을 던졌다. 눈을 뜨고 있었지만 캄캄한 어둠, 나는 다만 내가 떨어져 내리는 맹렬한 속도만을 느꼈을 뿐이었다. 그런데 분명 그 캄캄한 절벽을 뛰어내렸는데, 죽어도 좋다고 생각하고 뛰어내렸는데 정신을 차리고 보니 내가 뛰어넘은 것은 다만 문지방일 뿐이었다. 나는 문을 열고 밖으로 나왔다.

훗날 친구가 내게 말했다.

─그러니까 니네 엄마가 니 문장 실력을 키워준 거야. 본의 아니게 널 훌륭한 소설가로 만들어준 거지. 사춘기 때 그렇게 죽자 사자 자세히 일기를 쓰는 사람이 어디 흔하니? 니네 남편은 니 안의 착한 여자를 본의 아니게 『착한 여자』로 탄생시켜준 거고…… 다 고마운 사람들이야.

4

언니는 뜻밖에도 웃지 않았다. 이제 자신의 나이도 40대 중반 뭐 그런 일이 있었다 해도 별로 놀랄 일은 아니라는 듯 태연했다.

"글쎄 정확한 사실을 이야기하자면 네가 태어나고 한 달 만에 그러니까 2월 말쯤 나는 할아버지 할머니랑 먼저 서울로 왔어. 아버지가 곧 서울로 발령이 난다니까 전학시키기가 뭐하다고 먼저 할머니 할아버지랑 서울의 초등학교에 입학하라고 말이야. 만일 최인향이라는 아이가 왔다면, 그 우연이 사실이라면 내가 서울로 간 사이 진짜 네가 죽고 최인향이라는 아이가 그 집에 왔다는 이야긴데…… 네가 태어나는 건 분명 내가 보았으니까…… 그러니까 아닌 것 같다. 우리 엄마가 미쳤니? 니가 죽었으면 엄만 솔직히 좋아라 했을 텐데……."

"그렇지? 내 생각도 그 생각이야."

우리 자매는 함께 낄낄거리며 웃었다. 이미 딸 하나 아들 하나를 낳고, 다산은 무식의 소치라고 생각하던 엄마가 나를 밴 건 우연이었다고 했다. 낙태를 하기 위해 몇 번이나 병원에 가려고 했지만 아버지가 혹시나 아들일지도 모른다고 말렸고 그래서 낳은 것이 나라는 딸이었다.

5

여자는 공원에서 나를 기다리고 있었다. 하는 수 없다는 생각에 집에서 입던 푸른 스커트에 연베이지색 얇은 카디건만 걸치고 집 앞으로 나갔다. 푸르던 이파리들이 벌써 윤기를 잃어가고 있었다. 검은색 바지 정장에 푸른 리본 블라우스를 입은 여자는 옷의 색깔 때문이었을까, 지난번 커피숍에서 만났을 때보다 작고 파리해 보였다.

"어디 가서 커피라도 한잔하실래요?"

내가 물었다.

"아니에요. 여기 좋네요……. 애기들은?"

"……저는 댁의 동생이 아닌 것 같아요. 어떻게 다른 방법을 찾아보시지요."

담담한 말투 때문이었을까, 여자가 약간 놀라더니 울 듯한 표정을 지었다.

"바쁜데 미안해요."

"바빠서가 아니에요……."

우리는 둘 다 잠시 침묵했다. 아직 햇살은 뜨거운데 바람은 서늘했다. 파란 하늘이 가을을 데리고 와와 몰려오고 있는 것 같았다. 산다는 일도 이렇게 예측이 가능했으면 좋겠다는 생각이 들었다. 하늘이 높아지면 여름옷을 차근차근 개켜 서랍 깊숙이 넣어두고, 바람이 차지면 고추를 빻아놓고 마늘을 쟁이며…… 장독을 씻어 김장을 준비하고…… 하지만 어느 날 아침 문득 바람이 싸늘해지면 나는 아직도 알 수 없는 두려움에 휩싸이곤 했다. 한 번도 어김이 없었던 계절인데도 말이다.

"언제 미국으로 돌아가세요?"

여자가 머뭇머뭇하더니 울기 시작했다. 나는 이맛살을 찌푸린 채로 아이들이 킥보드를 타고 지나가는 모습을 바라보고 있었다. 더럭 짜증이 나기 시작했다. 뭐야, 나보고 내 출생을 증명하라니, 누가 자신의 출생을 증명할 수 있단 말인가…… 더구나 누가 뭐라고 생각하든 나는 이젠 울지 않는다.

"부탁이 있어요. 형제들이 오늘 따라온다는 것을 내가 말렸는데…… 한 가지만 들어주시면 다시는 이런 일 없을 거예요."

"말씀해보세요."

"유, 전자 검사…… 유전자 검사를 해주세요. ……어려운 부탁이란 건 알아요. ……하지만 이렇게 앉아서 안타까워만 하고 있으니 차라리 확인이 되면……."

그녀와 나의 눈이 가까운 거리에서 마주쳤다. 여자의 눈에는 두려움이 실려 있었다. 나는 이 여자가 진심으로 두려워하고 있는 것이 무얼까, 잠깐 생각했다. 이 여자는 내가 자신의 동생이 아닐까 봐 두려워하고 있을까? 그럴지도 모른다. 하지만 이 여자는 어쩌면 내가 자신의 동생이 아니란 것이 확인된다는 사실을, 동생이 아니라는 사실보다 더 두려워하고 있을지도 모른다는 생각이 들었다. 그건 별로 특별한 것도 아니었다. 나 역시 오래도록 두려워했고 오래도록 나 자신을 속여왔다. 진실보다 무서운 건 진실이 밝혀진다는 것이라는 걸. 거짓이라도, 사랑하지 않는다 해도, 붙들고 있는 편이 나을 때가 있다. 그러자 나도 두려워지기 시작했다. 만일 만에 하나 내가 그녀의 동생이라면…… 확인율 99.99퍼센트의 냉정한 과학 앞에서, 마치 거짓말 탐지기 앞에서 두려운 증인처럼 나 역시 두려워졌던 것이다. 만일 내가 최인향이라면, 공지영이 아니라 최인향이라면 그래도 나의 삶은 평온히 계속될 수 있을까…… 내가 나에게 물었다. 그, 럴, 것, 같다……라고 내가 대답했다. 나는 다시 물었다. 만일 네가 공지영이 아니고 최인향이라면 그래도? 너는 온전히 너일 수 있을까? ……그, 렇, 다……. 나는 다시 물었다. 정말? ……나는 대답했다. 그래.

"그러시죠."

내 선선한 대답에 여자가 오히려 놀라는 눈치였다. 그리고 나 역시 나 자신에게 놀라고 있었다.

6

나는 짐짓 쾌활함을 가장하고 있었다. 우리 이모들을 닮은 그쪽 형제들은 떨고 있는 듯 보였다. 여자의 동생들을 본 것은 그때가 처음이었는데 사실 나와 나란히 서서 가족사진을 찍는다 해도 이상히 여길 사람은 아무도 없을 것이었다. 분위기도 그랬고 얼굴의 윤곽도 그랬다. 하지만 그들의 얼굴에는 반가운 기색이 없었다. 모두들 조직 검사를 하러 들어가는 예비 암환자들 같았다. 미리 부탁해놓은 젊은 여의사가 커다란 쟁반에 주사기를 가지고 들어와 인사를 했다.

"저어, 비밀은 보장되는 거지요? 이분은 유명한 분이라서…… 혹시나 잡지사 기자들이 알기라도 한다면…… 우리는 그저 사실만을 원하는 거지, 이게 알려지면 안 되는데."

여자는 정말 걱정스러운 듯 말했다. 순간 내가 최인향이라면 그래서 저 큰언니 밑에서 미국으로 이민 가 어린 동생으로 컸다면 내 삶은 어떻게 달라졌을까 하는 생각이 들었다. 하지만 그것은 아무도 모른다. 이미 저질러진 것을 우리는 인생이라고 부른다. 내가 잠 안 오는 밤 동이 틀 때까지 뒤척이며 그때는 이렇게 했다면, 그때 그렇게 하지 않았더라면, 그때 거기 가지 않았더라면, 아아 정녕 그랬더라면…… 수만 번 되뇌인다 한들, 혹은 내가 앞으로는 어리석게 살지 않을 거야, 정말 이제까지와는 다르게 살겠어, 두 팔에 고개를 묻고 흐느껴 운들 마찬가지였다. 중요한 것은 과거가 아니고 중요한 것은 미래도 아니며 현재는 더더욱 아닌 것이다. 나는 그저 통째로의 이 삶, 나의 어리석음과 돌이킬 수 없었던 결정들과 원하지 않았으나 내게 주어졌던 이 삶, 그러니 결국은 내 것일 수밖에 없는 온전히 내 책임인 이 삶…… 찬물에 풍덩 넣어 삶아내는 통돼지고기처럼 다리도 있고 꼬리도 있고 뭉툭한 코도, 다 깎이지 않은 털도 있는 통째로의 이 삶을 나는 받아들이고 싶었다.

"어느 분이 먼저 하실래요?"

젊은 의사가 비밀 보장이고 유명이고 별 관심이 없다는 투로 물었다. 여자와 그의 형제들은 말이 없었다. 만일 이 피 몇 방울이 쐐기벌레 같은 유전자 지도를 그리며 맞아, 하고 말한다면 우리는 형제들이고 나는 어쩌면 그녀들과 언니! 하며 포옹해야 할지도 모른다. 나와 닮은 이 낯선 그녀들…… 친언니는 나와 닮지 않았고, 이 여자들은 나와 닮았다. 어머니는 내게 친절하지 않았고, 이 여자는 세세한 부분까지 나를 걱정해 5년 동안이나 숨을 죽이고 나를 지켜보았다. 이 여자가 나를 동생이라고 주장할 수 있는 정황은 10가지쯤 되고 우리 어머니가 할 수 있는 말은 넌 내 딸이야, 내가 낳았으니까, 일 뿐이다. 진실은 단순한 것인가? 그래서 거짓이 정교하게 복잡한 무늬를 그릴 때 진실은 그저 말할 뿐일까? 아니야, 혹은 맞아. 그게 다야……라고? 그렇다면 내가 더 두려워할 것도 없지 않은가.

"제가 먼저 할게요."

의사가 내 팔에 고무줄을 묶고 바늘을 찔러 넣었다.

"오래 걸릴 거예요. 유전자가 부서지지 않도록 주사기를 꽂아만 두고 피가 흘러나오도록 기다려야 하니까요."

주사기에 내 피가 천천히 고여가고 있었다. 내가 어디서 왔는지 밝혀줄 피였다. 나는 문득 내가 왜 5년 전 받았던 전화를 수유리에서가 아니라 도화동 낡은 출판사로 착각해 기억하고 있는지 깨달았다. 그건 그때 그곳에 드나들던 한 청년 때문이었다. 일찍 출근해 갈탄 난로에 불을 피우고 청소를 마친 후 자리에 앉아 낡은 창틀로 조각난 하늘을 보고 있노라면 소리 없이 문을 밀고 들어와 화들짝 놀라게 하던 그. 그래, 지금은 중년이 다 된 스물세 살의 청년이 거기 있었다. 간첩 혐의로 보안사에 끌려가 미쳐버린 그. 청년은 풀려난 이후에도 혼자서 중얼거리곤 했다. 나는 아니에요, 그냥 아니라구요…… 정말 아닌데…….

7

"아니라고 말했습니다. 하지만 그들은 나를 발가벗겨 내 몸 여기저기에 물을 뿌렸지요. 이미 이유도 모른 채 죽도록 매를 맞은 후였습니다. 겨드랑이 사타구니 발꿈치 그리고 성기에까지 전선이 연결되었습니다……. 죽지 않을 만큼의 전기량을 재기 위해서는 전문가가 있어야 하니까 고문기술자가 출장을 왔더군요. ……그리고 전기 고문이 시작되는 것이지요……. 저보고 북한에 납북됐을 때 무슨 지령을 받았는지 대라는 겁니다. ……그러고는 반복되는 문구를 읽어주며 저에게 그걸 인정하라는 거였어요. 그러니까 제가 간첩 활동을 했고, 북한에서 돈을 받았다는 거지요. ……성기에 이어놓은 전선에 전기 충격을 가하면 널빤지에 꽁꽁 묶여 있는 몸이 10센티쯤 위로 솟구쳐 오릅니다……."

TV 속, 한 스님이 담담하게 그러나 떨리는 어투로 말을 이어가고 있었다. '74년 납북 어부 간첩 혐의로 15년 복역'이라는 자막이 떠올랐다.

"어떠세요? 이젠 그분들을 용서할 수 있으십니까?"

기자의 질문에 스님은 눈을 감았다. 파르란 그의 윤곽이 가늘게 떨리고 있었다. 잠시 무거운 침묵이 화면에 가득 찼다.

"나는 생각했습니다. 만약 나에게 저 고문 도구를 준다면 나를 고문했던 모든 사람들에게 간첩이라는 자백을 받아낼 수 있다고 말이지요."

그리고 한 얼굴이 비추어졌다. 고문의 후유증을 앓고 있
는 수많은 사람들의 얼굴이 짧은 영상으로 스쳐가면서였다.
헐렁한 병원복을 입고, 말라버린 땅콩 알맹이 같은 그의 육
신이…… 카메라를 들이대는데도 멍한 눈을 뜨고 있었다.
……K선생님! 순간 내 뇌리로 강한 전류가 지나가는 듯했다.
안 돼! 라는 희미한 울림이 가슴을 치고 지나가는 순간 눈물
이 쏟아졌다. 곁에서 TV를 보고 있던 남편이 놀라며 내 손을
잡았다. 나는 말했다.

"안 돼. 그러면 정말 안 된다구!"

8

1983년 겨울 전두환 정권은 80년대 초 그가 내몰아버린
모든 해직 교수의 복직을 발표했다. 그러나 그는 홀로 복직을
거부했다. 정권의 본질이 바뀌지 않는 한 유화책은 받아들일
수 없고 이런 시국에서 대학에 앉아 학생들을 가르치는 것
자체가 무의미하다는 것이었다. 명분이야 어찌하든 그것은

그에게 지속되는 가난을 의미하는 것이었다. 함경도에서 홀로 월남한 그에게는 생계를 도와줄 친척도 없었다. 한때는 대학의 교수였던 그가 버스비와 전철비가 없어 외출하기조차 힘들어 모임에 빠지는 일도 잦았다. 그의 딸은 아버지가 복직을 거부하는 바람에 대학 진학을 포기해야 했다고……. 우리는 전철을 타고 다시 버스를 타고 물어물어 부천 외곽 그의 집으로 찾아갔다. 방 두 칸에 작은 마루 하나가 달린 작은 집에는 설날 오후였지만 세배객 하나 없었다. 교수가 아니니 이제 제자도 없는 것이다. 세배만 드리고 가려는 우리를 선생이 붙잡았다. 사모님이 부산하게 움직이는 소리가 나고 우리는 염치도 없이 거기 앉아 떡국을 두 그릇씩이나 먹었다. 79년 명동 YWCA사건으로 끌려가 심한 고문을 당한 끝에 몸이 몹시 상했던 그는 거의 먹지 못했다. 160센티미터 정도의 작은 체구 바싹 마른 몸뚱이. 고문으로 망가진 몸뚱이는 앉아 있는 것 자체도 힘들어 하는 듯했지만 그는 비스듬히 기대어 앉아 훗날에도 그를 생각하면 떠오르는 어린아이 같은 미소를 내내 짓고 있었다.

"그러니까 내가 그렇게 풀려나온 후에도 이 보안사 놈들이 계속 나를 쫓아다니는 거야. 한 번은 무슨 시내의 호텔로 오라고 해서 갔더니 거기 안다 하는 문인들이 다 앉아 있어. 내가 이름은 다 밝힐 수 없지만 말이야."

그는 그때 기분이 좋은 듯했다. 하긴 선생들에게 있어 찾아와 주는 제자만큼 기쁜 것이 있을까. 엄밀히 따지자면 우리는 그분의 제자가 아니었지만 우리는 이미 같은 시대의 문하생들이었다.

"……그런데 이놈들이 또 무슨 꿍꿍인가 했더니 갑자기 상을 내오는 거야. 음식은 없고 웬 상인가 싶은데 여자들이 들어오는 거야. ……내가 젊은 여러분들 앞에서 이런 이야기 하기 정말 부끄럽지만…… 거기 모인 사람 수만큼 여자들이 들어오더니 갑자기 옷을 다 벗는 거야. 그러더니 상 위에 올라가서…… 여학생한테는 죄송합니다만, 바나나를 자르고 성기로 담배를 피우고…… 그 순간 내가 말했지. 갑시다, 여러분 갑시다! ……그런데 G선생 한 분만 따라오더군……."

그는 쓸쓸하게 담배를 물었다. 우리끼리, 라고 말할 수 있는 사이가 아니면, 이야기할 수 없었던 배신감, 무기력, 분노 같은 것이 그의 얼굴에 복잡하게 어리고 있었다. 그럼 거기 계속 앉아 있던 나머지는 누구야? 진보적 문인들 중 누구냐고? 그리고 거기선 그 후에 무슨 일이 벌어졌을까? ……친구들은 선생이 화장실을 간 사이 내 눈치를 살피며 이야기를 주고받았다. 친구들 입으로 깊은 한숨이 새어나왔다. 그래선

안 되는 거잖아, 어떻게 진보적인 사람들이 그럴 수 있어?

몇 시간이나 지났을까. 방에서 나오니 따님과 사위와 두어 살 된 손주가 마루에 서 있었다. 나중에 알고 보니 연료비를 아끼느라고 방 하나에만 불을 넣은 바람에 사모님과 따님과 손주 들은 우리가 자리에서 일어날 때까지 마루의 연탄난로 앞에서 꼼짝없이 서 있었던 것이다. 우리는 그 후에도 두어 번 선생에게 세배를 갔었고 물론 미리 연락을 했다. 따님과 손주들이 오시는지 아닌지 확인하기 위해서였다.

그리고 10여 년 세상이 변하고 지난해 나는 어느 시상식장에서 K선생을 다시 만났다. 선생은 여전히 약한 함경도 사투리가 섞인 부드러운 어조로 물으셨다. 어린아이 같은 미소는 여전했다.

"잘 살지요?"

선생은 내 손을 잡고 한참 나를 바라보셨다. 나는 사실은 그렇게 잘 살고 있지 않았지만 네, 하고 대답했다. 그것이 마지막이었다. 왜냐하면 그 TV를 본 지 이틀 후 나는 선생의 부음을 전해 들었기 때문이다.

그러자 잊혀졌던 기억이 하나 떠올랐다. 내가 다니던 대학 당국이 해직된 K교수 같은 불온한 사람의 글은 실을 수 없다고 학교 신문의 발행 자체를 중지시키는 바람에 우리는 그분의 원고를 신지도 못했고 원고료도 챙길 수가 없었다. 그 무렵엔 그리 특별한 일도 아니었다. 죄송하다고 말씀을 드리기 위해 선생을 만나러 가는 길에, 원고료를 드려야 하는가 아니면 솔직히 말씀을 드릴 것인가를 놓고 우리는 잠시 머리를 맞대었다. 그러고는 술값을 하려고 야금야금 아껴둔 돈을 추렴해 봉투에 넣었다. 그 당시 5만 원이면 적은 돈이 아니었던 것이다. 게다가 그분은 당시 200원 하던 전철비도 절실할 만큼 어려운 상황이 아니던가. 그 돈이면 전철을 250번이나 탈 수 있는 것이다. 하지만 한때 대학에 계셨던 선생은 이미 알고 계셨다. 발행 중지된 신문의 그 문제 필자에게 학교 당국이 원고료를 지불할 리가 없다는 것을.

"여러분들 나 때문에 고생이 많군요······."

우리는 끝내 그분에게 그 봉투를 전해드리지 못했다. 우리가 전해드리면 우리가 추렴한 것을 그분이 알 것이고 그렇게 되면 자존심이 상하실까 봐였다. 부음을 들었을 때 그게 떠올랐던 것이다. 그런 일이 지금 일어났더라면 나는 돈을 드릴 것이다. 어떤 거짓말이라도 할 것이었다. 선생이 받으시지 않았다면 가시는 길에, 어거지로 주머니에 넣어드렸을 것이다. 그러나 우리는 그러지 못했고, 선생이 가셨다니까 5만 원을 드리지 못했던 그게 제일 가슴이 아팠다.

9

서울대병원 주차장에 차를 세우고 나는 잠시 서 있었다. 오늘은 유전자 검사 결과가 나오는 날이었다. 한쪽 병동에서는 쐐기벌레 같은 유전자의 도표가 내가 어디서 왔는지 밝힐 준비를 하고 있을 것이고, 다른 한쪽에서는 영안실에서 사람들이 K선생을 영원히 보낼 준비를 하고 있을 것이다.

만나기로 한 본관 입구 쪽으로 걸어가는데 멀리서 그녀가 보였다. 어쩌면 내 큰언니가 될지도 모를 그녀는 입구에서 망연히 서 있었다. 나를 처음 만나던 날처럼 벨벳 자주 무늬의 투피스에 블라우스만 흰 것으로 바꿔 입고 화사한 귀고리까지 달고 있었지만 여자의 얼굴에는 어두운 그늘이 덮여 있었다. 왠지 마음 깊은 곳에서부터 미세한 떨림이 느껴져 왔다. 이상한 일이었다. 괜찮다고 생각했는데, 몇 번이나 그렇게 생각해놓고 이렇게 떨고 있는 자신을 나는 이해할 수 없었다.

나는 그녀를 향해 몇 걸음 걷다가 멈추어 섰다. 누군가가 내 뒷덜미를 잡아당기고 있는 듯 나는 거기서 더 움직일 수 없었다. 나는 숨을 고르고 거기 서 있었다. 이제 내가 더 걸어가 그녀 앞에 서면 그녀는 말할 것이다. 인향아…… 내 동생 이제야 널 찾다니…… 그리고 나는 그녀에게 엉거주춤 안길지도 모른다. ……그도 아니면 그녀는 말할 것이다. 아니래요. ……미안해요.

그리고 나면 무슨 일이 일어날까. 내가 누구의 딸이라는 것이 밝혀진다는 것이 지금 나에게 어떤 의미일까. 미국에 새로 생긴 언니를 두었으니 이민 수속을 할 것도 아니고 거액의 유산이 굴러떨어져 평생 돈 걱정 없이 살아갈 것도 아니다. 아니 설사 그렇다 한들 그것이 이제껏 살아온 내 사십 년을 변화시킬 수 있는가. 내가 태어난 이래 내 살에 박히고 내 피가 되어 흐른 시간의 유전자들을 바꿔놓을 수 있을 것인가. 봄마다 같은 여울에 떨어져 흘러가는 꽃잎도 이미 그 꽃잎이 아닌데. 지금 이 서울대병원, 내 발길에 채는 노란 은행잎도 지난가을 떨어진 그 은행잎은 아닐진데……. 나는 분명 누군가의 딸이었고 나는 분명 누군가의 딸일 테지만 이미 또 나는 아이들의 어미가 아닌가. 쐐기벌레 같은 유전자의 지도가 99.99퍼센트의 정확도를 뽐내며 그래 넌 누구야, 하고 말해준다 한들 대체 무엇이 달라진단 말인가.

나는 다시 차에 올라탔다. 여자는 아직도 병원 입구에 서 있었다. 가끔씩 고개를 두리번거리다가 다시 고개를 숙이고 깊은 생각에 잠기는 듯했다.

최인향이라는 사람의 아버지가 함경도 출신이었다는 사실이 떠올랐다. 만일 그가 월남한 사람이 아니었다면, 그래서 아기를 돌보아줄 이모나 고모라도 있었다면 최인향은 사라지지 않았을 것이다. 나는 그녀를 알지 못했을 것이고 기이한 인연처럼 함경도 출신으로 이 타향을 고단하게 떠돌다가 이제 사라져간 두 사람을 바로 이 자리에서 함께 기억하지도 못했을 것이다. 처음으로 나는 여자의 동생에게, 엄마를 잃고 밤새 배가 고파 울었다는 그 아기에 대해, 그렇게 동생을 보내놓고 평생을 마음이 아파하는 그녀에 대해 마음이 아팠다. 그녀는 지금 어디서 어떻게 살고 있을까, 나와 비슷한 겨울날에 생일을 맞을 그 여자⋯⋯ 최인향, 혹은 나. 그때 핸드폰이 울렸다.

만일 이 전화가 그녀의 것이라면 어떻게 해야 하나 망설이다가 나는 백 속에서 전화기를 집어 들었다.

어머니였다.

"넌⋯⋯ 어떻게 에미라는 게 아이가 이렇게 되도록 눈치를 못 채니?"

"무슨 소리야?"

"막내가 지금 열이 펄펄 끓는다."

"그래?"

"그래. 아줌마 말로는 아침부터 열이 좀 있었다는데……
내가 지금 니네 집에 들러보니까 아줌마 혼자 쩔쩔매고 있더
라. 차도 없고, 동네 병원들 파업이라서 병원도 못 간다."

"우선 옷을 다 벗겨서 미지근한 수건으로 닦고 계세요."

"얘가 평소에는 잘 놀다가 아프면 엄마를 찾는데 어찌나
애처로운지…… 봐라, 지금도 에미한테 전화하는 걸 아는지
축 늘어져서 운다."

"알았어요…… 지금 갈게요."

열기 때문에 상기된 뺨으로 축 늘어져 뚝뚝 눈물을 흘리
고 있을 아이의 얼굴이, 미국에서 왔다는 여자의 얼굴을 제
치고 최인향을 제치고 공지영도 제치고 수화기 너머로 내게
다가왔다. 어머니는 나를 가장 마음 아프게 하는 방법을 잘
안다. 나 역시 이제는 그렇다. 우리는 모녀니까.

친구에게 전화를 걸어서 K선생의 부조금을 부탁하고 나
서 나는 차를 출발시켰다. 엄마, 내 어머니…… 나는 알고 있
었다. 내가 우리 어머니의 딸이라는 것을, 내가 어머니의 딸
이 아니었던들 어머니는 그렇게 당당히 나를 미워할 수 없었

을 것이다. ……의붓딸을 미워할 만큼 담력을 가진 새엄마는 드물다. 그래서 팥쥐 엄마나 신데렐라의 의붓엄마가 역사에 남은 것이다. 하지만 친딸을 미워한 엄마는 많다. 그렇다고 아들들에게는 엄마들이 사랑만을 베풀었던가…… 나는 거기에 대해서도 회의적이다. 다른 여자에겐 친절하나 유독 제 아내에겐 불친절한 수많은 남편들, 다른 집 아이가 공부를 안 하는 건 국가의 교육정책이 잘못되어 있어서이고 내 아이가 그러면 정신이 썩어빠져서 그러니 버릇을 고쳐놓아야 하는 교육학자들, 진보 운동을 하는 성폭행범과 여성 비하 발언을 일삼는 보수적인 애처가, 페미니스트인 매 맞는 아내와 단란주점에 가서 영계를 찾는 교육 공무원…… 진실은 너무나 게으르다.

나는 이제 나의 어머니를 용서하려고 애쓰지 않는다. 그건 그러니까 엄마도 그때 자신의 삶이 힘겨웠던 거야, 내 사춘기와 엄마의 갱년기가 일치했으니까, 라는 생각도 하지 않기로 했다. 누군가 말하지 않았던가. 우리 삶에서 가장 하기 힘든 일은 자신에게 상처를 준 사람을 용서하는 일이며 우리 삶의 비극은 그럼에도 불구하고 우리 역시 끝없이 누군가에게 상처를 주며 사는 것이라고.

내 아이들이 자라나서 우리 엄마는 좋은 사람이었어, 바쁘긴 했지만 그래도 우리를 사랑했어, 말할 거라고는 더더군다나 생각해본 일이 없다. 솔직히 나는 우리 아이들 중 하나가 혹여라도 작가가 되어 나처럼 이런 글을 쓰게 될까 봐 두렵기만 한 것이다. 아무리 좋은 문구를 생각해낸다 해도 우리 엄마는 제멋대로고, 우리 엄마는 자기만 알며, 심지어 우리 엄마는 나를 미워하지도 않았다. 관심이 없었으니까······ 한마디로 엄마 자격이 전혀 없는 여자가 하필 나의 엄마였던 것이 내 운명의 시작이었다, 정도가 아닐까······.

차가 영안실 앞을 지나쳐 갈 때 잠깐 K선생 생각이 났지만, 그래도 가시는 길인데 잠깐 얼굴이라도 비추어야 하는 건 아닐까 망설임이 일었지만 나는 그대로 가속페달을 밟았다. "죽은 자의 장례는 죽은 자들에게 맡기고 너는 나를 따르라." 예수가 말했던가. 명색이 기독교 신자이면서 예수의 말을 반쪽만이라도 이렇게 충실히 지키기는 아마 이때가 처음이었다.

부활 무렵

1

"꽃이란 꽃은 다 피었네…… 봄이 오나 했는데 또 이렇게
봄이 가는구나."

부엌 창밖을 내다보며 멍청하게 혼자 중얼거리다가 순례는
일하는 손을 재게 놀린다. 행주까지 말끔히 삶아놓고 식탁을
대충 보아두자 일이 끝났다. 순례는 거실로 나가 안주인에게
오늘은 좀 사정이 있어서 일찍 가야겠다고 말했다. 연노란빛
가죽 소파에 앉아 의상 잡지를 보고 있던 안주인은 돋보기
너머로 순례를 바라보았다.

"일은 다 끝내놨구요, 밥도 해놨어요. 국도 다 끓여놨고 조

기도 구워놨으니까 사장님 들어오시면 데워 드시면 될 거예요. 저기…… 시댁에 제사가 있어서."

그냥, 좀 일이 있어요, 하면 될 걸 순례는 있지도 않은 제사를 들먹이며 말을 꺼냈다.

"아니, 남편도 없는 사람이 시댁 제사는 뭘 그리 챙겨? 뭘 보태줄 집도 아닌 것 같은데."

환갑이 지나 남편과 함께 살고 있는 안주인은 목에 맨 긴 실크 스카프를 쓰다듬으며 말했다. 평소 같으면 다 늙은 노인네가 이 봄에 집에서 웬 긴 스카프, 하며 마음속으로 투덜거렸겠지만 지금 순례는 그럴 경황이 없다. 며느리를 둘씩이나 두고 가끔씩 제사에 오너라 못 간다, 전화로 며느리들과 다투던 안주인은 과부인 순례가 시댁 제사에 간다는 소리를 듣고 요즘 젊은 애들치고 넌 괜찮구나, 하는 표정이기도 했다. 제사 핑계를 댄 건 잘한 것 같았다. 하지만 안주인이 혹 알게 된 건 아닐까, 순례가 집을 나서려 할 때 지수 엄마 잠깐만, 내일부터 나오지 말아, 내가 소문 다 들었어…… 할까 봐 뒷덜미께가 땅겨오는 건 어쩔 수 없었다. 90평 빌라를 청소하기가 좀 힘든 구석도 있지만, 식구가 두 사람뿐이니, 편한 집이었다. 그나저나 소문이나 나지 말아야 할 텐데, 큰일이었다.

"미친년, 도둑질을 하다니…… 이왕 도둑질하려면 아예 초

장부터 큰 걸로 하나 해서 팔자나 고치고 살지. 나이 마흔이
다 돼가지고, 이게 무슨 망신이야."

순례는 작업복을 벗고 아침에 차려입고 나온 검은색 투피
스로 갈아입으며 투덜투덜 혼잣말을 했다.

"나이 마흔에 무슨 가방을 훔쳐, 훔치긴. 그 가방 든다고
지가 귀부인이 되나. 호박에 줄 긋는다고 수박이 되냐 말이
야, 되긴."

고급 빌라들이 늘어선 무지개마을, 불곡산 자락에서부터
골목길까지 순례 말대로 꽃들이란 꽃은 다 피고, 찬바람 속
에서도 볕은 뜨거웠다. 저기 무지개마을 삼성아파트는 친구
삼순이가 살던 집이 있었지. 순례는 버스를 기다리며 무지개
처럼 멀리 있는 아파트를 바라보았다. 지금 아파트를 지은 저
산에는 임자 없는 무덤들도 있었다. 어른들이 육이오 때 억
울하게 죽은 임자 없는 무덤들이라고 가끔 혀를 끌끌 차기도
했던 것 같다. 그 무덤들은 다 어디로 갔을까, 저기 청구아파
트 자리는 초등학교 때 소풍 갔던 자리. 친구들은 모두 단무
지에 시금치에 당근을 넣은, 빨갛고 노랗고 파란, 꽃처럼 예
쁜 김밥을 싸가지고 왔는데 순례는 소풍날에도 까만 보리밥
든 도시락이 부끄러워서 친구들 몰래 구석 자리를 찾아찾아
갔다. 그때도 이렇게 꽃들이 피어나고 그때도 이렇게 연초록

이파리가 돋았다. 봄이면 붕어가 지천이었던 탄천, 그리고 저만치는 어린 그녀가 살던 집이 있었다. 집은 사라지고 아파트가 들어서고…… 일찍 집을 떠나 서울로, 수원의 공장으로 떠돌다가 다시 고향땅으로 돌아와서 파출부 일을 할 줄 순례는 몰랐다. 분당의 농사꾼이었던 아버지는 얼마나 복이 없으면 분당이 개발될지도 모르고 땅을 팔았는지, 그 땅으로 소를 사고 소값이 똥값이 되고, 그러자 결국 아버지는 농사도 소 키우기도 걷어치우고 커다란 함지박에 소고기를 받아서 팔러 다니다가 죽었다. 땅을 팔지 않았으면 소도 안 사고 그저 가만히만 있어도 돈이 커다란 함지박으로 가득했을 텐데…… 애쓰면 애쓸수록 가난은 올가미처럼 그녀와 가족들을 죄어들었다. 아버지가 애쓰지 않았다면, 만일 아버지가 그저 게으른 농부였다면, 그렇다면 아버지의 두 딸도 이 분당에서 남의집살이를 하지 않았을 것이다. 오늘 같은 봄이면 새로 뽑은 차를 타고 꽃구경을 갔을지도 모른다. 그런데, 임대아파트 보증금 이백을 일주일 안으로 올려달라고 관리사무실에서 독촉고지서가 날아온 일이 희미한 추억을 비집고 들어섰다. 도둑질을 해야 될 사람은 사실 순례 자신이었다. 딸 지수 등록금 마련하느라 빚까지 얻었는데 이백을 어디서 마련하나, 미금역까지 가는 마을버스를 타고 자리를 잡았을 때 순례는 문득 머리가 멍해지면서 사는 게 고되구나, 하는 생각이 들었다. 순례는 별로 흔들리지도 않는 버스에 앉아 손잡이를 움켜잡았다. 남편이 죽고 애들 데리고 시집을 나왔을 때도, 이런 생각을 해보지 않은 그녀였다. 장미농장에서 한철, 아침 일곱 시부터 밤 세 시까지 일할 때도, 함바집에서 이백 명 인부 밥을 해댈 때도 이런 생각은 들지 않았다. 내가 늙나, 순례는 문득 서글퍼졌다.

아니, 어린 나이에 이런 생각을 한 적이 있긴 있다. 그녀가 분당 고향집에서 서울 동부이촌동 아파트로 식모살이 떠날 때였을 것이다. 그때 버스 정류장까지 따라 나와 울던 동생 정례가 있었다. 날마다 순례에게 머리를 쥐어박혀도 언니를 떠나지 않던 정례…… 식모살이를 가는 게 뭔지는 몰라도, 다른 친구들 다 교복 입고 학교 가는데 날마다 소똥을 치우는 게 너무 지긋지긋해서 순례는 슬프지도 않았다. 그날, 언니를 따라가겠다고 울던 정례를 머리를 쥐어박아 떼어내고 작은엄마와 함께 버스에 올라탔을 때, 멀미 때문이었을까, 순례의 머릿속이 살구꽃 이파리처럼 하얘지면서 그런 생각이 들었다. 산다는 건 참 고되구나……. 그때 그녀 나이 열세 살 무렵이었으니, 정례는 아마 여섯 살이나 일곱 살이었을 것이다.

"억울해 언니, 그냥 억울했어. 저 여자는 저렇게 많이 갖고 있는데 나는 왜 이렇게 없는가 싶고, 세상이 너무 불공평하다는 생각이 자꾸 들면서……."

사흘 전 일을 마치고 경찰서로 달려갔을 때 동생 정례는 울면서 그렇게 말했다. 정례는 도둑이 된 것이다. 동생의 나이 마흔, 중학교 3학년짜리 아이를 둔 에미가 유명 상표, 샤넬인지 구찐지 하는, 주인 여자의 핸드백을 열 개나 훔친 것이었다. 병신 같은 것, 샤넬이든 구찌든 루이뷔똥이든, 성남 모란시장에 가면 오천 원, 만 원짜리가 널려 있는데 왜 그걸 훔쳐냈단 말인가. 등신 같은 년, 니가 그 가방을 들면 진짜라도 모란시장에서 산 것 같고, 주인 여자가 들면 가짜라도 진짜인 것처럼 보이는 걸 몰라? 왜 바보 같은 짓을 해, 하긴! 마음 같아서야 어린 시절처럼 머리를 쥐어박으며 소리라도 지르고 싶지만 순례는 침만 꿀꺽 삼키고 말았다.

동생 나이쯤이던가, 아니면 그보다 더 전이던가, 파출부 일이 손에 익으면서 순례도 그런 생각을 안 해본 건 아니었다. 남편이 출근하고 나면 화장을 하고 노래교실에 달려나가는 은행원의 부인도 있었고, 파출부 나온 순례는 사람도 아니니, 없는 셈 치고, 전화기를 붙들고 정부와 밀어를 속삭이던 사업가의 부인도 있었다. 98평짜리 빌라의 여주인은 지갑을 펴더니 잔돈은 하나도 없네, 혼잣말을 하면서 안방에 놓여 있는 금고를 열고 돈을 꺼내주기도 했다. 대부분 순례나 정례 또래의 여자들이었다. 저 여자는 얼굴 어디에 복이 붙었을까, 하루 종일 노는 저 여자는 어디서 돈이 저렇게 많이 나올까, 순례는 잠깐 일손을 놓고 주인 여자들의 얼굴을 멍하니 바라보기도 했다. 소고기 안심을 척척 구워 먹는 아이들을 보고 있노라면 카레에 넣은 돼지고기 살점에 고개를 박던 제 아이들 생각에 울컥해졌던 건 그보다 한참 뒤였다. 남편이 살았을 때는 농사일 때문에 아무 생각도 하지 못했고, 남편이 죽은 후에는 먹고사느라 또 아무 생각이 없었다. 아이들 때문에 아침부터 밤까지 죽도록 일하는데 아이들의 얼굴에는 날마다 그늘이 덮였다.

"왜 그런 얼굴들 하고 있냐 엉? 공부해! 기죽지 말고 살아! 엄마가 니들은 안 굶겨! 무슨 짓을 해서라도 대학 공부까지 다 시켜줄 거야. 근데 방은 왜 이렇게 어질러났냐?"

빗자루를 들어 괜히 아이들을 두들겨 패면서 기죽지 말라고 아무리 소리를 질러도 아이들은 순례의 눈치를 살피며 방구석으로 몰려가 울다 잠이 들었다. 그렇게 아이들을 재워놓고, 노느니 벌지 하면서 단란주점에 나가던 시절도 있었다. 성남 시내 단란주점에서 아줌마들을 찾는다는 연락이 옆집 성기네를 통해서 오면 그 밤에 화장을 하고 셋이나 넷이서 그리로 갔다. 밤늦게 온다고 화를 낼 남편이 있는 것도 아니고, 어차피 밤마다 과부들끼리 둘러앉아 먹는 술, 그 술도 공짜로 먹고 노래도 부르고 이만오천 원도 벌고, 나쁠 게 없었다. 그러나 그것도 얼마 못 가 끝이 나고 말았다. 어느 날 허벅지를 더듬는 남자를 뿌리치고 술집을 나와, 분당에 있는 단 두 개의 임대아파트 단지 앞에는 서지도 않는 버스를 타고 미금역에서 내려 걸어오면서, 순례는 생각했던 것이다. 그래도 그 짓은 안 해, 내 맘 내키면 까짓것 공짜로 해줄 수도 있지만, 그래도 내가 싫으면 싫은 거야. 개새끼, 어디다 손을 대, 대길…… 그러구두 집에 들어가면 마누라하구 애새끼들한테 큰소리치겠지. 생긴 건 꼭 족제비 같은 놈이 감히 이만오천 원에 날 어떻게 해보려구? 어림없지, 개새끼. 내가 이 짓을 다시 하면 장순례가 아니다! 먹은 술이 얹혔는지 속이 울컥거렸다. 길거리에 침을 탁탁 뱉으며 걸어가는 순례의 눈앞으로 방구석에서 이불을 덮고 잠들어 있을 아이들의 어두운 얼굴이 떠올랐다. 그 족제비 같은 놈은 술 처먹고 지랄을 해도 어쨌든 애비가 아닌가. 그런데 내 새끼들, 애비랑 도시락 싸서 놀러도 한 번 못 간 내 새끼들, 불쌍한 내 새끼들…… 새끼들 때문에 나는 죽지도 못하는구나! 가로수를 붙들고 꺼이꺼이 울면서 순례는 생각했다. 그래, 공평하지 않다! 공평하지 않아!

정례가 일하는 집 주인 여자는 싸늘한 표정으로 경찰이 묻는 말에 대답을 하다가 울고 있는 정례와 순례 자매를 돌아보았다. 순례는 젊은 주인 여자에게 비굴한 표정으로 미소를 지었다. 그런데 가만 생각하니 지금 이 장면에서 도둑의 언니로서 미소를 짓는 것이 뭔가 어울리지 않는 것 같았다. 그래서 얼른 미소를 거두려니까 표정은 이상하게 일그러져버렸다. 여자는 뭐야, 저것도 한통속이잖아, 하는 경멸의 표정을 감추지 않고 고개를 돌려버렸다. 그녀가 순례보고 너도 도둑년이야, 한 것도 아니었는데 순례는 오기가 발끈 솟았다. 미친년, 백이 얼마나 많았으면 한두 개도 아니고 열 개나 없어지는데 그걸 두 달 동안이나 모르고 있었어. 경찰서만 아니었다면, 동생이 도둑만 아니었다면, 순례는 아마 그렇게 말하고 싶었는지도 몰랐다. 하지만 순례는

"이 등신아, 세상 불공평한지 이제 알았어?"

동생 정례에게 말하고 한숨만 쉬고 말았다.

주인 여자는 진술을 마치고 경찰서 주차장으로 걸어가고 있었다. 순례는 따라가 그 여자의 뒤에 섰다. 꽃향기보다 진한 향수 냄새 때문에 순례의 머리는 잠깐 아찔해졌다.

"저, 이보세요. 전 재 언니예요. 한 번만 용서해주세요. 정말 이번 한 번만 용서해주시면 제가 무슨 수를 써서라도 다시는 이런 일이 없도록 제가……."

푸른빛 아이섀도를 바른 여자의 눈매가 곤추섰다.

"다시는, 이라뇨? 그럼 다시 우리 집에 동생을 들이라는 이야기예요?"

생각해보니 그녀의 말도 일리는 있었다. 한 번 도둑질한 파출부를 다시 쓰지 않을 거라는 건 자명한 일이 아닌가. 순례는 두 손을 모아 애원하는 표정으로 다시 말했다.

"저희 동생이 그걸 갖다 팔아서 돈을 챙긴 것도 아니고 다시 다 돌려드렸잖아요. 그것이 어린 마음에 그저 한번 들어보고 싶어서…… 여자들이란 게 좋은 거 보면 자기도 들어보고 싶고, 예쁜 옷 보면 한번 입어보고 싶고…… 아무리 없이 살아도 같은 여자니까 이해하시리라 믿어요. 우리 동생이 전과자도 아니고, 경찰 말이 취하해주시면 선처라는 걸 할 수가 있다고 하던데……."

주인 여자는 순례의 얼굴을 외면하며 차문을 열었다. 순례는 순간 다급해져서 여자의 옷자락을 덥석 잡았다.

"왜 이러시는 거예요?"

짧은 파마 머리를 한 주인 여자가 비명을 질렀다. 여자가 하도 소리를 지르는 바람에 순례도 겁이 나서 얼결에 두 손을 어정쩡히 들었다. 똥 묻은 사람을 대하는 듯한 그런 경멸과 두려움을 순례는 여자의 얼굴에서 읽었던 것이다. 순례는 얼결에 들었던 두 손을 힘없이 내렸다. 두 손을 어정쩡히 들고 서 있는 자신의 꼴이 너무 우스웠다. 하지만 순례는 참기로 했다. 자존심이란 게 얼마나 쓸데없는 감정인지 안 지 이미 오래였다.

"제발이지 제가 이렇게 빌게요. 제발이지 같은 에미 심정으로 집에서 혼자 엄마 풀려날 때만 기다리고 있는 애 얼굴 봐서 한 번만…… 하라시는 대로 제가 대신 뭐든 하겠습니다. 집에서 기다리고 있는 애 생각해서 한 번만, 이번 한 번만……."

경찰서 한가운데서 여자가 무릎을 꿇으라고 해도 꿇을 수 있을 것 같았다. 빌어서 될 수만 있는 일이라면 못할 일이야 없는 것이다. 순례의 머릿속으로 문득 딸 지수가 유치원에 다닐 때 뇌척수막염에 걸렸던 일이 스쳐갔다. 수원 빈센트병원,

어린 지수는 혼수상태에 빠져 있었다. 남편이 죽은 그 이듬해였다. 손주를 문병한답시고 찾아온 시어머니는 순례를 불러놓고 말했다.

"남편 잡아먹은 년이 딸까지 잡아먹게 생겼구나. 죽게 냅둬라, 먹고살기도 힘든데 딸년은 키워서 뭐하니, 너나 나나 딸로 살아서 좋은 게 뭐 있었냐. 게다가 병원비는 누구보고 물으라고 할 테냐? 집에 데리고 가서 송장 치울 궁리나 하거라. 저 상태라면 깨어나도 제 구실도 못한다고 하던데……."

순례의 눈에 푸른빛이 번쩍, 하는 걸 봤는지 시어머니는 거기까지 말하고 입을 다물었다. 먹고살기도 힘든데 딸이 죽어버렸으면 하는 생각을 순례도 해보지 않은 건 아니었다. 하지만 시어머니에 대한 미움과 딸 지수에 대한 사랑, 어느 것 때문이었을까. 순례는 입을 앙다물었다. 살리고야 말겠다는 생각뿐이었다. 중환자실 밖으로 나온 순례는 넋이 나간 것처럼 병원 뜰을 쏘다녔다. 살리고 말겠어, 꼭 살려서 보란 듯이 키우고 말겠어. 그때 순례는 병원 한편에 서 있는 성모상에 무릎을 꿇었다.

"제발, 살려만 주십시오. 병신이라도 좋고 제구실을 못해도 좋습니다. 살려만 주십시오. 그러면 제가 뭐든지 다 하겠습니다. 저 애에게 젖 한번 배불리 먹여준 적이 없습니다. 아침에 젖 먹이고 나가서 점심때 또 한 번 젖 주고 저녁에 밭에서 돌아오면 어린것이 울지도 않고 축 늘어져 있었습니다……. 갓난아기가 먹을 젖을 밭에다 짜 버리면서도 가슴이 아프지도 않았습니다. 나 힘든 생각에 저거 그냥 죽어버렸으면 솔직히 그런 생각도 했습니다……. 그렇게 자라서 그런지 키가 하도 작아서 저 애는 버스 탈 때 아직도 요금을 안 냅니다. 그러니 이대로 저 애를 보낼 수 없습니다. 당신도 에미였으니 제 심정 아실 거 아닙니까. 살려주세요, 제 딸을 제발 살려주세요……. 병신이라도 좋습니다. 사람 구실 못해도 좋습니다. 제발."

그 자리에 부처가 서 있든, 산신이 서 있든, 장승이 서 있든 순례는 그렇게 빌었을 것이다. 그렇게 몇 시간을 울며불며 기도했는데, 그날 밤 열 명의 꼬마 뇌척수막염 환자들 가운데서 기적처럼, 지수만 눈을 떴다.

"엄마, 야쿠르트."

평소에 지수가 그렇게 먹고 싶어 했건만 사주지 않았던 10원짜리 요구르트를 열 병이나 사다가 지수에게 먹였다. 모두가 기적이라고 했다. 젖도 제대로 못 주고 요구르트 못 사준 거야 더 말할 것도 없고, 그렇게 키운 그 지수가 올해 대학에 갔다. 제 오라비도 못 간 대학, 제 애비도 못 가보고, 제

에미도 못 가보고, 제 할미 할아비 삼촌 고모 아무도 가지 못한 그 대학이란 곳을.

"빈집에서 혼자 엄마 기다리는 병호 생각 좀 해주세요. 애가 엄마랑 단둘이 살던 버릇이 있어놔서 밤에 잠도 안 자고 울어요. 식구라고는 단둘뿐인데, 에미가 감옥에 가고 나면…… 동생이 전과자도 아니고 취하만 해주신다면 경찰에서 선처를 해준다고……."

여자는 대답이 없었다. 하지만 집에서 혼자 기다리고 있는 아이, 라는 대목에서 여자의 얼굴에 흔들림이 생겼다. 저 여자도 에미였다. 그러니 이 기회를 놓칠 수는 없었다.

"애가 엄마 안 온다고 잠도 안 자고 학교도 안 가고 울고만 있어요."

잠시 후 여자가 순례 쪽으로 돌아섰다.

"정말이지 나도 어쩔 수 없어요. 내가 병호 엄마 평소 행실 봐서 취하해주고 싶지만, 정말이지 내가 병호 엄마를 얼마나 믿었는데, 정말이지 그래서 안방 장롱도 잠그지 않고 다닌 거였는데…… 그래요, 정말이지 안 돼요, 정말이지 가방도 가방이지만, 정말이지 병호 엄마를 믿은 만큼, 정말이지 나한테 밀려드는 배신감…… 정말이지 그 배신감은 나도 어쩔 수 없어요."

여자는 입술을 앙다물고 배신감이라는 단어에 힘을 주면서 말했다. 배신감, 문제는 이제 백이 아니라 배신감이었다.

3

그런데 주인 여자가 마음을 바꿔 고소를 취하했고 선처를 부탁했다. 그렇게 동생이 풀려나게 된 것이 어제였다. 한데 조건이 있단다. 무슨 조건을 달지는 겁이 좀 나긴 하지만 뭐 돈을 물어달래도 물어주는 수밖에. 무슨 짓이라도 다 하겠다고 약속을 했으니 약속은 지켜야 했다. 순례는 오늘 과일이라도 사 들고 동생과 그 집에 같이 가서 조건을 들어주기로 했다. 버스 정류장에서 내리니 동생이 과일 바구니를 들고 서 있었다. 어린 벚나무 아래 서 있는 동생은 작아 보였다. 순례는 순간 지금 저기 서 있는 마흔 살짜리 동생이, 서울로 식모살이 떠날 때 버스 정류장에서 울고 섰던 그 동생 같았다. 횟배를 앓아 배만 불룩하던, 먹을 것이라면 무엇이든 악착같이 달려들어 아귀아귀 입 안으로 밀어넣던, 머리를 쥐어박으며 귀찮다고 하는 자신을 따라오며 가만히 있을게, 따라가기만 하구 언니가 친구들하구 놀 때 난 가만히 있을게, 같이 가,

애원하던 그 어린 동생 같아졌다.

"과일 샀어?"

어린 동생에게 철없이 굴었던 것을 생각해서 콧날은 시큰한데 말은 어린 시절처럼 퉁명스레 나왔다.

"응."

"얼마치?"

"비싸서 이만 원어치밖에 못 샀어…… 딸기금이 그새 또 올랐더라구."

"만 원 더 써서 삼만 원쯤 쓰지, 이만 원이 뭐냐?"

"소문나서 일도 못 나가게 생겼는데 만 원이라도 아껴야지."

순례와 동생은 말없이 버스를 기다렸다. 그때 가벼운 경적 소리가 났다. 어떤 차가 우릴 보고 경적을 울릴까 싶어 무심히 서 있는데 반짝이는 일톤 트럭이 자매 앞에 섰다. 사촌이었다.

"어디들, 가는 거야?"

사촌은 싱글벙글한 얼굴이었다.

"어디 좀 가."

자매는 심드렁한데 사촌은 입이 찢어져라 웃는다. 엉뚱한 교통사고를 내고 차를 샀다더니 정말 사긴 산 모양이었다. 사촌이 차를 사니 두 자매는 배가 아팠다.

"나 차 샀어."

자매는 입을 다물고 만다. 사촌이 무슨 말을 듣고 싶어 한다는 걸 알기 때문이었다. 이게 그 새 차야? 좋다, 뭐 이런 말일 것이다. 그러니 그 말만은 절대로 하지 말아야 한다. 사촌은 여전히 싱글벙글이었다.

백수로 놀던 사촌이 마누라 등쌀에 못 이겨 마을버스 기사로 취직한 게 지지난달이었다. 그런데 취직한 지 일주일 만에 무슨 외제 스포츠카를 들이박았다고 했다. 분명 저쪽에서 신호를 위반하고 달려들었다고, 사촌이 아무리 말해도 경찰은 믿어주지 않았다. 외제 스포츠카를 탔던 젊은 놈은 안보이고 사촌 혼자 경찰서에 앉아 있고, 사촌올케는 저 인간이 마음잡자 사고친다고 머리를 싸매고 누웠다. 그때 두 자매는 낮에는 남의 집에서 일하고 밤에는 교대로 경찰서로 밥을 싸다 나르고 사촌올케 대신 아이들을 돌보아주었다. 그래도 마음잡고 살아보려다 일어난 일인데 올케가 참으라며 달래기도 했고, 신세 한탄을 들어준 건 또 몇 날 밤이었는지……. 그런데 일이 이상하게 돌아가기 시작하더니 고급차 두 대가 사촌의 집 앞에 섰다. 그들은, 사인만 해주면 보험 처리는 물론 앞으로의 생활비 조로 얼마, 위로금으로 얼마까지 다 책임진다며 변호사 명함을 내밀었다. 그러니까 사촌이, 신호 위반을 한 건 저 외제차가 아니고 나요, 라고 눈 딱 감고 사인해주면 그들은 거금 삼천만 원을 주겠다는 것이었다. 경찰서에서도 날마다 전화가 왔다. 그렇게 하면 모든 책임은 경찰이 진다는 것이었다. 사고를 낸 외제차의 주인은 절대로 알려져서는 안 되는 사람이라는 것이 그들의 말이었다. 어떻게 된 영문인지 모르지만 그래서 생긴 차가 바로 이거였다. 머리를 싸매고 누워 있던 사촌올케는 얼마 전 백화점에서 새 투피스를 사 입고 자매를 찾아왔다. 겨우 삼겹살 한 근 사 들고…… 그러니 자매는 심사가 좋을 리 없었다.

"버스 온다."

싱글벙글하는 사촌을 모른 척, 순례가 동생을 끌었다.

"어떤 놈은 차 사고를 내고도 돈이 생기고 재수 없는 년은 가방 몇 개……."

동생은 버스에 타서 중얼거리다가 언니 눈치를 보더니 입을 다물었다.

"그래, 너 말 잘했다. 이렇게 된 마당에 너한테 양심까지는 바라지 않지만, 눈치라도 있어 몇 개 하고 말았어야지. 그래 그걸 열 개씩이나……."

"처음에 나도 그러려고 했었지. 처음엔 말이야."

학교를 마친 아이들이 교복을 입고 꾸역꾸역 버스로 올라탔다.

뜨거워진 볕 때문에 아이들의 볼도 꽃처럼 발개졌다. 그 아이들 보기가 민망해 자매는 입을 다물었다.

"그나저나 언니, 경찰서에서 자는데 난데없이 병호 아빠 꿈을 꾸지 않았겠어? 가만히 생각하니까 얼마나 부아가 나는지…… 정말 저렇게 좋은 교통사고라도 나서 돈 한번 갖다 준 인간이었으면 이혼 안 했을 거야. 언니도 생각나지? 그때 병호 초등학교 일학년 땐가, 그 인간 교통사고 내서 전세금 다 날렸던 거. 그래놓고 뭘 잘했다고 날마다 술 처먹고 들어와서 패고…… 그러지만 않았어도 이혼 안 했을 텐데…… 경찰서에 앉아 있으려니 남편 생각이 나긴 나더라구. 그 인간은 어디서 사람 구실이나 하구 사는지 몰라. 근데 언니, 우린 왜 이렇게 복이 없어?"

"그걸 알면 내가 이러구 살겠니?"

버스에서 내린 두 자매는 딸기 바구니를 들고 걸었다. 고급 빌라 정도엔 사는 줄 알았더니 뜻밖에도 찾아간 집은 39평 아파트였다. 39평 아파트 살면서 그 비싼 몇백만 원짜리 백을 그렇게나 많이 샀단 말인가 싶어져서 순례는 순간 어이가 없었다. 그 정도 비싼 가방이라면 요즘 순례가 일을 다니는 90평짜리 빌라의 안주인 정도가 들어야 하는 것 아닌가.

"얘, 니네 주인 39평 살아도 돈은 엄청 많은가 보다?"

순례는 혹시나 하고 물었다.

"나도 그런 줄 알았는데 남편 몰래 가방을 사들인 모양이야. 이번에 나 때문에 들통이 나서 이혼한다 어쩐다 난리도 아니었던 모양인데, 알고 보니 카드 빚이 몇천이래."

"저 여자는 많이 가졌는데 너는 아니어서 억울하다고 울고불고했잖아?"

"글쎄…… 그 비싼 걸 자꾸 사들이니 돈이 엄청 많은 줄 알았지 뭐야."

순례는 한숨이 나왔다.

"그런데 그게 빚이었다니 말이 되니? 그런데 가방은 왜 그렇게 사들였대?"

"몰라, 친한 친구가 부자래. 그 친구 따라댕기며 막 샀다는데……."

"그년도 너만큼 미친년이구나."

동생에게 다시 화살을 쏘면서 순례는 갑자기 억울해졌다. 막상 정례가 풀려나고 나자 괜히 구걸했나 싶어진 것이다. 겨우 39평짜리 살면서 그 위세를 부리다니, 빚 얻어 가방 산 년인지 모르고 하늘에서 떨어진 선녀라도 되는 듯 떠받들어주다니, 너도 불쌍한 인생이구나 싶어졌지만 집으로 들어서자 순례는 머리 숙여 공손히 절을 했다.

"뭐라고 감사의 말씀을 드려야 할지…… 정말 이 은혜 평생 잊지 않겠습니다."

"감사는 목사님께 드리세요. 정말이지 이번 주일이 부활절만 아니었어도, 정말이지 원수를 사랑하라 하신 예수님의 말씀을 들려주시며, 정말이지 목사님이 절 설득해주시지 않았다면, 정말이지 그 배신감을, 제가 이길 순 없었겠지요."

여자는 차게 말했다. 순례와 정례는 앉지도 못하고 엉거주춤 서서, 연회색 양복을 입은 목사라는 사람에게 머리를 숙였다.

"좀 앉으시죠."

목사는 부드러운 목소리로 말했다. 두 자매는 엉거주춤 앉았다. 정례가 사가지고 간 딸기 바구니를 내밀었다. 주인 여자는 본체만체 정례에게서 고개를 돌렸다. 만정이 떨어진다는 얼굴이었다.

"두 분 종교가 있으십니까?"

목사가 부드럽게 물었다.

"없어요. 엄마가 예전에 만신한테 다녀서 우리도 따라다녔던……"

눈치 없는 동생의 말을 자르며 순례가 끼어들었다.

"가져보려고 하고 있어요. 게다가 이렇게…… 이렇게 고맙게 해주시니, 교회라도 다녀볼까 안 그래도……."

"아, 그러십니까."

오십이 좀 넘어 보이는 목사는 감격스러운 눈길로 순례와 정례 자매를 바라보았다.

"자매님들 이렇게 만난 것도 다 하나님의 뜻입니다. 괜찮으시다면 우선 잠시 기도할까요?"

주인 여자가 먼저, 이어 목사가, 그리고 순례와 정례 자매가 두 손을 모았다.

"사랑이 많으신 우리 주 하나님 아버지, 여기 뒷골목을 헤매던 어린 양들이 왔습니다. 아버지 앞에서 죄를 따지자면 무고한 자 그 누구겠습니까마는 아버지 특별히 이들 자매의 죄를 용서해주십시오. 간음한 여인을 두고 너희들 중 죄 없는 자가 먼저 돌을 들어 저 여인을 치라, 고 예수님은 말씀하셨습니다. 아버지 하나님, 이 어둠 속에서 헤매는 두 어린 양들을……."

목사의 기도를 듣고 있다가 순례는 눈을 떴다. 도둑질은 동생이 했는데 왜 불쌍한 어린 양이 하나가 아니고 둘이 된단 말인가. 이것들이 내가 동생 일에 발 벗고 나선다고 나까지 도매금에 도둑으로 넘기나 싶어 순례는 화가 난 것이다.

게다가 누가 뒷골목하고 어둠 속을 헤맨단 말인가. 남편 죽고 십몇 년 동안 남의 물건 손 안 대고 내 손으로 벌어서 새끼들 키워놨는데, 몸 파는 거 빼고 안 해본 것 없이 고생고생 살아왔는데, 어두운 골목을 헤맬 시간이 어디 있었나, 싶었다. 이래서 내가 교회를 안 나간다니까……. 순례는 불쾌해졌다. 언젠가 딸 지수의 성화에 못 이겨 나간 교회에서도 순례보고 그랬다. 회개하라고, 당신의 죄를 반성하라고. 하지만 아무리 생각해도 순례는 이해할 수가 없었다. 생각해보면 딸이라고 공부 안 시켜준 어머니 죄였고, 좀 지그시 기다리지 못하고 분당의 땅을 홀랑 팔아버린 아버지 죄였고, 남편을 죽여버린 하나님 죄에다가, 아들 죽었다고 어린것들 딸린 순례를 돈 한 푼 주지 않고 내쫓은 시어머니 죄였다. 그러나 목사의 기도는 끝도 없이 이어진다. 순례는 눈을 뜬 채로 앉아 있었다. 잠시 기도하자더니, 목사의 말은 끝날 듯하면 이어지고 끝날 듯하면 이어졌다. 눈을 감고 있기도 뜨고 있기도 했다. 그래서 순례는 목사처럼 다시 두 손을 모으고 혼자 마음속으로 기도했다. 하나님, 저 목사님의 기도가 빨리 끝나게 해주십시오…….

"아까도 말씀드렸지만, 정말이지 제가 억누를 수 없는 배신감을 극복하고 마음을 바꾼 건, 정말이지 여기 계신 목사님 덕분이에요. 정말이지, 저는 생각했죠. 하나님께서 제게 이 시련을 주신 의미가 뭘까, 정말이지 목사님과의 대화를 통해 저는 알게 됐어요. 그건 바로 하나님께서 어둠 속을 헤매고 있는 병호 엄마 자매를 저보고 인도하라는 사명이라는 것을…… 그러는데 정말이지 계시처럼 어떤 기억이 떠올랐죠."

기도가 끝나자 주인 여자는, 그 조건이라는 것을 말하겠다면서 순례를 바라보았다.

"정말이지, 병호 이모께서 하나님이 내려주셨던 기적을 우리 교회에 나오셔서 간증하고, 정말이지 두 자매분이 새로운 삶을 시작하라는 조건을 요구하기로 말이지요."

"예?"

하도 놀라서 순례의 목소리는 난데없이 컸다.

"우리 주 하나님께서 다 죽은 딸을 살려주시는 기적을 베풀어주셨다면서요. 그걸 저희 교회에 나와 간증해주시고, 정말이지 새 삶을 시작하신다면……."

목사가 아멘, 하고 말했다. 아마도 동생 정례가 순례의 이야기를 한 모양이었다. 하지만 도둑질한 것 용서해주는 거하고, 딸 지수가 기적처럼 살아났던 일하고 대체 무슨 상관이 있는지 순례는 알 수 없었다.

"정말이지 그렇게만 해주신다면 저는 주님 안에서 제가 받은 이 참을 수 없는 고통과 고난을, 정말이지 오롯이 주님의 부활과 승리로 되돌려드리는 영광을 얻게 될 거라는 이야기에요."

"그, 그러니까…… 그때 그 빈센트병원, 성모상 앞에서 기도한 그 이야기를 나보고…… 사람들 앞에서…… 하라구요?"

당황스러운 순례가 다시 물었다.

"성모상?"

순례가 묻자 이번에는 주인 여자가 놀랍다는 듯 정례를 바라보며 물었다.

"하나님 앞에서 기도한 게 아니고, 성모상이었어요, 그게?"

정례는 우물거린다. 동생이, 교회 다니는 주인 여자 비위를 맞추느라 성모상이라는 이야기를 빼고 하나님이라고 말한 모양이었다. 저것이 지 얘기나 하지 왜 내 얘기까지 해서 사람을 또 귀찮게 만드나. 아니, 해도 좋다 쳐도, 똑바로나 할 것이지. 순례는 정례를 노려보았다. 정례는 아무 말도 못하고 고개를 숙여버렸다. 네 사람 사이로 무거운 침묵이 흘렀다. 그게 하나님이 아니라 성모상이었으면 돈을 내놓든지, 다시 경찰서로 가라든지, 마음이 바뀔까 봐 순례는 갑자기 겁이 났다.

"뭐, 성모상이나 하나님이나 다 한 식군데 어때요. 한 식구 맞잖아요. 할게요. 하죠 뭐."

"그럽시다. 그게 다 하나님이 하신 일이니…… 성모상이라는 얘기만 빼시고 하나님이라고 해주시면……."

곰곰 생각에 잠겼던 목사도 말했다.

"그럼요. 그럼 그 얘긴 뺄게요."

순례는 39평짜리 아파트 베란다에서 죽어가는, 누렇게 말라붙은 난초를 보며 대답했다.

4

차라리 공사장에 나가 일을 하는 게 순례로서는 나을 뻔했다. 며칠 후 그놈의 부활 간증이라는 것을 사람들 앞에서 하고, 어둑어둑한 때 겨우 빠져나오는데 순례는 다리가 후들후들 떨렸다. 동네 여자들하고 싸울 때 빼고, 그 많은 사람들 앞에서 말을 해본 건 난생처음이었다. 동생만 아니었다면, 어머니처럼 하늘처럼 자신을 믿고 있는 동생만 아니었다면 평생 이런 짓을 또 할까 싶었다.

"언니, 정말이지 미안해."

하루 종일 당황해하는 순례에게 어쩔 줄 몰라 하던 동생은 풀이 죽어 중얼거렸다.

"정말이지, 내가 언니하고 조카들한테, 정말이지 고개를 들 수가 없어……."

"정말이지 소리 좀 그만 하고 정말이지, 가게 가서 소주나 좀 사 와. 내가 너 땜에 별의별 꼴 다 당한 생각을 하니까 다리가 떨려서 술 한잔 하고 자야겠다. 양심이 있으면 순대도 좀 사오고."

"알았어. 근데 언니, 나 교회 다닐까 봐."

정례의 눈에는 눈물이 고여 있었다. 얘가 정말 이번 일로 충격을 받긴 받은 모양이다, 싶어서 순례는 마음 한구석이 찡했다.

"거기 가믄 너 십일조라구, 버는 것의 십분의 일을 세금으로 바쳐야 돼. 그러니까 그 돈 떼어내고도 먹고살 만한 사람들이 가는 데야, 거기가. 내가 교회 괜히 안 가는 줄 아니?"

"그래두, 오늘 목사님 말씀 들어보니까, 도둑질하지 말라고 하나님이 돌에다 콱콱 박아서 이야기했다는데, 꼭 내 얘기하는 것만 같아서 얼마나 챙피스럽던지…… 나 죽어서 지옥 가면 어떡해?"

"등신아, 넌 지옥을 아직도 안 가봤니? 난 많이 가봤다. 그렇게 살고도 아직 그걸 몰라?"

교회라도 나가보겠다는 정례의 마음을 모르는 것도 아닌데, 순례는 통명스레 말했다. 저 애가 마흔이 되도록 어떻게 저렇게 갈팡질팡일까, 한숨도 나왔다. 순례는 걸음을 빨리한다. 지옥을 갈 때 가더라도 사는 건 살아야지 별수 있나, 싶었다. 애들이 밥은 먹었는지 이것들이 또, 있는 밥 안 먹고 라면이나 끓여 먹고 있는 게 아닌지…… 공부하라고 대학에 들여보내났더니 딸년은 하라는 공부는 안 하고 엠티다 뭐다 날마다 늦게 들어왔다. 이렇게 돈만 많이 받고 이렇게 공부 안 시켜주는 게 대학인 줄 알았으면 여상이나 보낼걸……. 걸음 재촉하는데, 집 안에 들어가니 가뜩이나 좁은 집에 아이들이 한가득이었다. 군에서 막 제대한 아들에다 오늘따라 일찍 들어온 딸에다, 조카 병호, 게다가 아래층 사는 절름발이 아저씨네 애들까지 있었다.

"엄마, 이 병아리 깨어나려구 해…… 살았어."

그래? 하며 순례는 지수의 책상 앞으로 갔다. 며칠 전, 제대한 아들 몸보신이나 시키려고 전에 일하던 양계장에 들러 얻어온 곤달걀이었다. 삼계탕은 못 해줘도, 병아리가 되다 말고 죽어버린 곤달걀은 약으로 인기가 높았다. 그런데 그중의 한 알에서 이상한 소리가 나기에 순례는 혹시나 해서 딸 지수의 스탠드를 켜고 그 밑에 수건으로 감싸두어 봤다. 그런데 그게 드디어 병아리가 되긴 되는 모양이었다. 순례는 조심스레 손을 뻗어 달걀 껍데기를 콩알만큼 떼어내 주었다. 성한 놈이었다면 뽀송뽀송하게 껍데기를 깨고 나올 걸, 삐욱 소리만 나는 걸 보니 힘이 없는 놈인가 보았다. 너도 그렇게 약해빠져 가지고 한세상 어떻게 사냐, 순례는 아이들을 돌아보았다.

"밥들은 먹었냐?"

"먹었어."

"니들은 왜 잠 안 자구 왔냐?"

순례는 아래층 사는 절름발이 아저씨네 애들에게 물었다. 엄마가 도망간 지 오래, 술주정뱅이 아비와 사는 아이들은 툭하면 밥을 굶고 순례네 집으로 왔다. 애들이 그렇게 착하지만 않았으면 야멸치게 떼어버릴 것인데 애들은 순례의 말에 혼나기라도 하는 것처럼 얼른 고개를 푹 숙인다.

"애비가 또 밥 안 주고 술 먹으러 나갔냐?"

"아니에요, 우린 라면 먹었어요……. 오늘은. 우리 라면 주구, 아빠 술 먹으러 나갔어요."

"니 애비가 이제 철이 나나 보다. 늦었으니까 가서 자구, 애비 안 들어오거든 아침에 밥 굶구 핵교 가지 말구 우리 집에 오구. 알았지? 병아린 내일 와서 봐두 늦지 않다. 저 병아리다 나오려면 사흘은 걸린다."

책상 위의 달걀이 병아리로 변하는 걸 보고 싶은 눈치지만, 풀 죽은 아래층 아이들은 언제나처럼 예, 하고 순순히 자기네 집으로 돌아가고 만다. 아이들이 대충 엎어놓은 그릇들을 씻으러 가다 말고 순례는 다시 책상 앞으로 갔다. 연분홍빛 말간 부리가 힘겹게 껍데기를 깨고 있다. 순례는 다시 콩알만 한 껍데기 조각을 조심스레 두세 개 떼어내 준다.

"엄마, 내가 책에서 보니까 병아리가 껍데기 깰 때 도와주면 안 된다고 하던데? 자기 힘으로 깨고 나와야 잘 살지, 안 그런 건 죽게 내버려둬야 된다구…… 그게 자연의 법칙이래."

책상 앞에서 어린아이 같은 얼굴로 달걀을 들여다보던 지수가 물었다.

"어떤 바보 같은 인간들이 좋은 책에다 그런 말도 안 되는 걸 써? 힘이 없으면 도와주는 게 당연하지."

"하긴 엄마, 이 병아리 너무 불쌍하다. 나 어려서 아팠을 때 엄마, 그때 나도 이 병아리 같았겠지? 할머니가 나 내다버리라고 했다며?"

내가 술 먹고 딸내미한테 시어머니 이야기까지 했나, 싶어 순례는 문득 딸에게 미안한 생각이 들었다.

"내다버리라고 하긴, 누가 산 걸 내다버려…… 사는 건 다 살아야지."

"맞아 엄마. 엄만 선수잖아."

딸은 갑자기 희망이라도 본 듯 기쁜 어조로 말했다.

하기는 곤달걀뿐인가, 다리 다친 부엉이도 있었고, 알을 더 이상 못 낳는다고 양계장에서 폐기처분된 닭을 데려다가 키워서 달걀을 한 광주리도 더 얻은 일도 있었다. 이웃들은 화초가 죽어가면 순례에게 가져왔다. 같은 물을 주고 같은 햇볕을 받는데 이상하게 순례에게 오면 죽어가는 것들은 새로운 삶을 얻어 태어났다. 지수 엄마 참 희한한 사람이야, 라고 사람들은 말하곤 했다. 그러나 그 순례도 남편은 살리지 못했다. 남편이 죽을 무렵 병으로 쓰러져가던 젖소들도 살리지 못했고, 아이들 얼굴에서 사라져가던 밝은 빛도 살려내지 못했고, 그래서 결정적으로, 자꾸만 무너져 내리던 그녀의 나날들은 하나도 살려낼 수 없었다. 그건 그녀가 어찌해볼 수 있는 영역이 아니었다.

병아리가 말간 부리로 껍데기를 톡톡 친다. 순례는 병아리의 껍데기를 몇 조각 더 조심스레 떼어주었다.

"그래, 내가 네게는 지금 하느님이겠구나. 힘들지? 내가 도와줄게. 힘내라 응? 병아리두 되구, 암탉도 되구, 알두 낳구. 그 알 또 까서 병아리로 키우구……."

순례는 말을 멈춘다. 그러고는 죽을 것이다. 어쩌면 순례네 냄비 속으로 들어갈지도 모른다.

"그래 살아라. 사는 날까지는 살아야지. 그다음은 너도 모르고 나도 모르지만……."

문득 죽은 남편 생각이 났다. 평소엔 멀쩡하다가 술만 들어가면 순례를 패던 남편은 죽기 두어 달 전부터는 사람이 변했다. 술도 끊고, 시어머니 몰래 설거지도 해주고, 밭에서 돌아올 때는 발이 아프다던 그녀를 업어주기도 했다.

"참 이상하다. 언젠가 말이야, 순례야, 내가 이렇게 널 업어준 때가 또 있었던 것 같은 생각이…… 이상하게도…… 든다. 순례야, 만일 나 죽어도 딴 데 시집가지 마, 응?"

나 죽어도 딴 데 시집가지 말란 소리는 왜 했을까. 제가 죽는다는 걸 알기라도 한 걸까. 남편 제삿날이 다가오는 걸 보니 이맘때쯤이지 싶다. 논둑길 멀리 홍시보다 붉은 노을이 지고 햇볕에 데워진 따스한 봄바람이 부드럽게 귓바퀴를 감쌌으니까. 그때 남편 등에 얼굴을 묻으면서, 이런 게 사는 거구나 싶었는데, 두 달 만에 남편은 오토바이 사고로 죽어버린 것이다. 차라리 그 전처럼 술 마시고 순례를 패다가 죽었으면 좋았을걸. 저 인간 어디 가서 뒈지기나 했으면, 하고 그렇게 빌 때는 펄펄히 살아 죽지도 않더니, 산다는 건 어쩌자고 그토록 야속한지…….

"그나저나 니 이모는 술 사러 가서 또 순댓집 여편네하고 한잔하고 있나 부다."

딱히 딸 지수에게랄 것도 없이 중얼거리며 순례는 창문을 열었다. 만일 조금만 무심히 지나쳤더라면 저 병아리는 끓는 물 속으로 들어가 순례의 안주가 되었으리라. 그렇게 무심한 눈길에 버림받고, 다시 버림받았던 시간들이 순례의 머릿속을 스치고 지나갔다. 순례 나이 마흔여섯, 살아온 날들 모두 궂은일뿐이었다.

"엄마, 병아리가 힘든가 봐. 이렇게 조그만 게…… 엄마, 불쌍해."

딸이 소리쳤다.

"괜찮아, 죽는 거보담 조그맣고 약한 게 나은 거야."

부드럽게 딸을 안심시키면서 순례는 끌리듯 베란다로 한 걸음 걸어나갔다. 별은 없고 신도시의 휘황한 불빛이 보석처럼 반짝이고 있었다. 순례는 그 불빛과 마주 선 채로 혼자 중얼거렸다.

"한번 살게만 해주면 어떻게든 사는 거거든. 한번 살게만 해준다면……."

맨발로 글목을 돌다

1

　나는 어두운 거실에 앉아 있었다. 종일 종달새처럼 지저귀던 아이를 재우고, 챙겨둔 트렁크를 점검했다. 비행기 표와 여권 그리고 봉투에 든 엔화. 나는 H를 취재하러 가야 했다. 오래전부터 나를 선배라고 부르는 신 기자가 내게 새로 펴내는 H의 책과 근황의 취재를 부탁했다. 신 기자의 부탁이 아니더라도 그의 책이 나오면 한국에서 어떤 형식이든 H가 낸 책의 홍보를 도와주어야 할 마음의 짐을 가지고 있었기에 나는 흔쾌히 그러마 했던 터였다. H는 한국문학을 일본에 소개하는 정말 몇 안 되는 번역자였고 내 책 두 권을 이미 일본에 번역해서 소개한 바 있었다. 공항에 나가려면 평소보다 일찍 일어나야 했는데 이상하게 잠이 오지 않았다. 나는 베란다로 나가 소주를 한 병 집어왔다. 창작으로 인해 온 신경이 고슴도치처럼 일어서거나 미래에 대한 두려움이 덮쳐올 때 과거의 아픔이 새삼 시큰거리며 몰려올 때 나는 언제나 투명하고 다정한 그 액체의 따뜻함을 빌려 교감신경을 가라앉히고 잠을 이루곤 했었다. 그런데 탁자 앞에 따라놓은 그 소주를 한 잔 마셔버리기도 전에, 내 가슴으로 이상한 통증이 지나갔다.

무언가가 나를 치고 지나갔던 것이었다. 더듬거리며 만져보니 완강한 갈비뼈의 감촉이 여전했는데 무언가가 내 속에서 왈칵 빠져나갔고 그리하여 그 갈비뼈의 안쪽 공간이 뻥 뚫린 듯 허전했다. 배구공만 한 크기의 검고 서늘한 그 공간 속으로 내 삶이, 대부분은 고통이라고 기억되고, 그리하여 살기 위해 고통의 의미를 찾아내려고 머리를 부볐던 시간들이 찬바람보다 빠르게 지나갔다. 집 안은 따스했지만 등줄기가 섬뜩해져서 누군가 옆에 있어주었으면 했는데, 밤은 이미 깊어 전화를 걸 대상조차 없었다. 다행이었다.

언제부터인가 나는 우는 것이 하찮은 일이 아니라는 것을 깨닫게 되었기에, 가슴을 좀 웅크리고 편한 자세를 취해보았는데, 그때 문장들이, 장대비처럼 내게 내렸다.

2

2007년 사월 어느 날 하네다공항에서 나는 H를 만났다. 사월의 도쿄는 아주 더웠다. 그는 연한 회색 양복을 입고 있었는데, 연신 땀을 흘리고 있었다. 키는 훌쩍 컸지만 비대한 몸집은 아니었기에 더위를 많이 타나 짐작했다. 나는 내 소설의 일본판 출간 기념으로 일본을 방문한 길이었고 그는 내 소설의 번역자이자 이 만남의 통역자 자격으로 그곳에 나와 있었다. 택시 안에서 그는 내게 명함을 내밀었다. 이상하게 처음 만나는 사람인데 낯설지가 않았다. 시골에서 올라온 먼 육촌을 만나는 것 같은 그런 기분이라고나 할까. 그는 일본인보다는 북한인에 가까운 얼굴, 그런 분류가 가능하다면, 그런 느낌을 주는 얼굴과 용모를 하고 있었다. 택시가 출판사로 가는 동안 출판 관계자가 나에게 물었다. H씨가 어떤 분인지 알고 계신가요? 나는 웃으며 고개를 끄덕였다.

"네, 한국에서 이야기를 들어 알고 있습니다. 김훈 선생의 『칼의 노래』를 '고독한 장군[孤將]'이라는 이름으로 번역하신

맨발로 글목을 돌다 167

일도 있고, 『말아톤』을 비롯해서 많은 책을 번역하셨다는 걸요. 그리고 한때 북한에서 사셨다는 일도."

나는 그다음 말을 잇지는 않았다. 내가 들은 정보에 의하면, 그는 한때 북한에 납치당했었다. 그때 한국말을 익혔고 지금은 귀국해 그것으로 번역 일을 하고 있다. 처음 한국에서 그 이야기를 들었을 때 나는 막연히 생각했었다.

'북한에 납치를? 참 안됐네. 그리고 그걸로 번역 일을 하며 생계를 잇다니. 역시 인생이란 참으로 알 수 없구나.'

나 말고도 세상에는 자기 힘으로 어쩔 수 없는 삶을 사는 사람이 많이 있다, 는 투의 그저 상식적인 수준의 사고였다. 그를 만나기 전까지 그랬다. 그런데 일본 사람답지 않게 천연한 그의 미소를 대면하고 그의 북한 억양이 섞인 말투를 듣고 있는 동안 나의 생각은 점점 더 변해가기 시작했다. 내가 그를 안다고 대답한 것이 과연 맞는 일일까, 하는 생각이 나를 스치기 시작했다. 누군가를 안다는 것이, 네이버의 지식검색을 통해서 그의 이름을 입력하고, 그리고 그에 대한 이력과 기사와 이런 것들을 읽는 일이 다인 것일까, 하는 의문이 나를 스쳐갔던 것이다.

"이 년 전 저도 북한에 갔었어요. 평양 시내에 머물며 묘향산과 백두산에도 갔지요. 남북 작가 회담에 참석하는 길이었

는데…… 그래서 얼마간은 H씨를 이해할 수 있을지 모르겠
어요. 그 분위기를 알 수 있으니까요."

H의 눈이 강렬하게 반짝였다. 의외였다.

"그래요? 그때 어떤 느낌을 받았습니까?"

그의 질문은 간결했다. 그런데 그 간결함 속에는 어떤 간절
함이 숨어 있었다. 그때부터였다. 내 가슴이 아파오기 시작했
다. 그를 무심히 두고 볼 수 없을 거라는 예감이 들었던 것이
었다. 김승옥 식으로 말하자면 그의 삶이 '내 삶 속으로 끼어
드는 것'을 알게 된 것이다. 나는 평소와는 달리 약간 머뭇거
렸다. 그리고 나는 아마도 그가 원하는 대답을 했던 것 같다.

"……몹시 힘들었습니다. 그리고 슬펐구요."

그러고 나서 나는 그의 삶과 내 삶이 이 지점에서 서로에
게 끼어들고 있다는 것을 깨달았다. 나를 바라보는 그의 눈
빛이 따스해졌다. 아마 그를 바라보는 내 눈빛도 그랬을 것
이다.

3

인터뷰의 강행군이 시작되었다. 나는 내 책 『우리들의 행

복한 시간』이 왜 이렇게 많은 일본 기자들에게 줄을 서게 했는지 아직 그 의미를 파악하지 못하고 있었다. 내 소설이 너무 훌륭해서일 거야, 라는 식의 어이없는 발상은 물론 하지 않았지만 책을 낸 출판사가 일본 최대의 문학 전문 출판사이니 그럴 수도 있겠다, 싶은 식의 약간은 피곤하고 또 편리한 생각은 했다. 두 시간 간격으로 이어진 세 번째 인터뷰는 M신문과의 인터뷰였다. 문학 담당 기자가 아니라 부장이 직접 왔다고 했다. 그는 오십 대 초로로 보였는데, 이제껏 그렇게 기사를 써대고도 아직도 에너지가 넘쳐서 이제는 남의 일뿐 아니라 온 세상의 일을 다 간섭하지 않고는 스스로 배겨낼 수 없다는 듯 볼이 붉고 눈이 부리부리한 중년이었다. 남자는 작가인 나와 내 작품을 영화화한 송 감독을 함께 인터뷰하기로 했는데 그의 질문은 오직 H에게만 퍼부어지고 있었다. 통역을 해야 하는 H는 연신 땀을 닦으며 곤혹스러운 표정으로 기자에게 답하고 있었고 연신 나와 송 감독의 눈치를 살폈다. 에어컨이 작동하고 있었지만 실내는 이상하게 점점 더 뜨거워졌다. 시간이 느리게 흘러갔고, 배석한 출판사 관계자들의 얼굴 위로 곤혹스러운 표정이 역력해졌다. 언제나처럼 얇은 티셔츠에 청바지만 걸친 자유스러운 송 감독은 줄담배만 피우고 있었다. 어쨌든 영화의 홍보를 위해 그는 바쁜 시간을 쪼개어 여기까지 날아온 것이다. 나는 자유스럽고 신선한 그러나 일견 꼴통적 기질을 가진 송 감독이 자리에서 벌떡 일어나버릴까 봐 겁이 났다. 어쨌든 이곳은 일본, 우리 둘은 한국의 문화를 대표하러 여기 왔다는 식의 특사적 망상도 내게 있었을 것이다.

"저기…… 송 감독, 이해를 좀 해야 할 거 같아. H씨가 북한에 납치되었던 사람이래. M신문이 워낙 보수 꼴통 신문이고 저 기자가 북한 혐오주의자쯤 되는 모양인데…… 그래서 우리에게는 관심이 없고 H씨에게만 관심이 있는 모양이야."

내가 낮은 목소리로 송 감독에게 속삭였다. 송 감독은 별로 이 자리를 뛰쳐나갈 생각은 없었고 그저 H와 신문사 부장 두 사람이 일본말로만 이야기를 나누는 게 지루해서 싫었던 모양인지, 별 표정의 동요 없이 그래? 하고 반문했다.

"일본인을 납치했단 말이지…… 어디서?"

난데없는 질문이었다. 나도 거기에 대해서는 별로 아는 게 없었다.

"그거야…… 일본에서겠지."

송 감독이 웃었다. 그리고 잠시 담배 연기를 내뿜더니 짧게 한마디 했다.

"북한 애들…… 쎄다!"

오십 대 초반 M신문사 간부의 질문은 열을 띠고 있고, H는 점점 더 많은 땀을 흘리는 동안 출판사 관계자들의 낯빛은 흙빛으로 변해가고 있는데 우리 둘은 입을 가리고 킥킥 웃었다. 역시 영상을 다루는 사람들은 활자를 다루는 사람들과는 다르다는 생각이 들었다. 어이가 없다, 비이성적이다, 선진국 일본, 남의 나라에 와서 남의 나라 시민을 납치해가는 일은 있을 수 없다……라고 내가 소설에 표현해야 할 말을 그는 한 단어로 표현해버린 것이다. 쎄다!

"그런데 지네들은 몇백만을 끌고 갔었잖아."

송 감독이 다시 낮은 소리로 내게 물었다. 물론 내 머릿속으로 종군 위안부—아아, 나는 이 단어도 싫다. 위안은 무슨 위안을, 대체 누가 누구에게 준단 말인가. 하지만 어쩌겠는가, 내가 싫어하든 좋아하든 어쨌든 개념이 자리 잡기까지 그저 '책상은 책상'인 것을—들을 떠올리고 있었다. 내가 잠깐 그들과 관계했던 것, 그들의 증언, 그들의 눈물을 생각하고 있지 않았다면 거짓말이었다. 위안부뿐이었는가, 소위 의용군과 징용자 들 등등을 떠올리고 있었다. 그리고 거기에 분노가 없었다면 거짓말일 것이었다.

"그러지 마. 아까 일본인들이 하는 이야기를 잠깐 들었는데, 사실인지는 모르겠지만 그게 북측이 하는 말이래. 임진

왜란까지 쳐서 너희는 몇백만이지만 우리는 겨우 몇십 명이다."

송 감독이 머리를 절레절레 저었다.

"북측이 이제 우리 말문까지 막히게 하는구만."

"그러면 이번에는 작가에게 질문하겠습니다."

정해진 인터뷰 시간을 거의 오 분 남겨놓고 M신문사 부장이 물었다. 나는 속을 그대로 드러내버리는 내 단점을 생각하며 전전긍긍하고 있었다. 나는 첫눈에 그가 싫었다. 왜? 모르겠지만 그건 나의 직감이었고 몇 년 전부터 나는 나의 직감을 절대 무시하지 말자고 굳게 마음먹은 터였다.

"H씨의 일을 어떻게 생각하십니까?"

통역자로서의 앵무새 같은 한계를 절감한다는 듯 H의 눈은 내게 미안한 신호를 보내고 있었다. 부장은 부리부리한 눈으로 나를 빤히 바라보았다. 약간 어이가 없는 기분이 들었다. 그는 분명, "너 한국인이지? 너희 조선인들과 형제지? 그러니 너도 결국…… 그러니 스스로 자복을 하지?" 뭐 이런 투의 말을 하려는 것 같았다. 나는 크게 숨을 들이쉬었다. 침착하자, 침착하자, 절대! 열을 내지 말자. 저런 부류의 인간에게 송 감독의 말대로 "그래요? 그럼 당신들은 우리 위안부들, 징용자들, 살육들 어떻게 생각합니까?" 하고 삿대질을 하며 물은들 무슨 소용이 있을까. 역사는 우리들의 말장난으로 바로잡아지는 게 아니다. 나는 나를 달래고 있었다. 나는 준비했던 대답을 했다.

"가슴 아픈 일이라고 생각합니다."

M사의 부장의 눈이 야릇하게 반짝였다.

"……더 할 말이 없습니까?"

"예."

내가 같은 말을 반복하자, M신문사 부장은 고개를 갸우뚱하더니 이번에는 송 감독을 향해 물었다.

"이런 어이없고 분한 일을 영화화할 생각은 없습니까?"

잠깐 실내에 어색한 침묵이 떠돌았다. 모두 다 송 감독을 바라보았다. 나는 입술을 지그시 물었다. 송 감독은 잠시 망설이더니 태연한 말투로 대답했다.

"너무 어이가 없는 일은 영화화하는 법이 아닙니다. 그것은 기사화할 일이지요."

숨죽이던 배석자들 사이에서 킥킥 웃음이 터졌다. 이 어이없는 분위기에 대한 우려가 안도로 바뀌는 웃음이었다. M신문사 부장 혼자 웃지 않았다. 그는 너무도 호쾌한 송 감독의 대답 앞에서 잠시 곤혹스러운 표정을 짓더니 "소우데스까?" 하고 떫은 표정으로 물었다. 그 정도의 일본어는 아는 송 감독이 한국말로 대답했다.

"당연하지요."

나는 속으로 생각했다. 송 감독, 쎄다!

4

그날 밤 우리는 일본의 한 출판사가 주최하는 만찬장으로 걸어가고 있었다. 정갈한 이탈리아 식당은 도쿄 한복판에 새로 조성되었다는 공원 안에 있었다. 신록들이 내뿜는 초록빛 열기로 공기는 물렁거리고 있어서 미지근한 물속을 걸어가는 것처럼 피곤하기도 했다. 하루 종일 계속되는 강행군 끝인데 H는 여전히 웃음을 잃지 않았고 택시를 타고 내릴 때, 레스토랑의 문을 열고 닫을 때 언제나 나를 배려하기 위해 멈추어 섰고 오래 기다렸다. 고맙습니다, 내가 말하면 그는 말없이 웃었는데 그때마다 눈가에 오래도록 웃어서 패었을 주름들이 선명했다. 그럴 때마다 나는 생각했다. 이십사 년 동안 완전한 단절 속에서 살아왔던 저 사람, 언제 저렇게 주름이 패도록 웃었을까. 약속 시간보다 조금 일찍 도착한 우리는 잠시 공원 벤치에 앉았다. 나는 공항에 도착해 그의 인생이 내 인생에 끼어드는 것을 느꼈던 그 순간부터 내내 어떤 갈등을 겪고 있었다. 나는 아직도 그에게 아무 질문도 하지 않고 있었다. 이십사 년간 그는 북한에서 생활했다고 했다. 왜? 어떻게? 가장 가까이 서 있었지만 나는 아무것도 묻지 않았다. 진실을 이야기하자면…… 물을 수가 없었다.

참 이상하다. 어떤 이는 일 년을 보아도 낯설고, 어떤 이는 보는 순간, 그것이 어떤 형태이든 마음에 와서 깊은 인상을 남긴다. H를 만난 지 겨우 몇 시간이 지났을 뿐인데 나는 그와 아주 오래전부터 알고 있었던 것 같은 이상한 느낌에 사로잡혀 있었다. 인터뷰 중간중간 기자들이 질문을 던졌다.

"두 분은 언제부터 아는 사이세요?"

우리는 오늘 아침 하네다공항에서 처음 만났다고 했고, 그들은 그것을 농담으로 받아들이는 듯했다. 아마 당사자인 H와 나 둘 다 혹시 이건 농담이 아닐까 생각했을 수도 있다. 그만큼 그와 나는 말없이도 서로 통하고 있었다. 그건 연배가 비슷한 남자와 여자의 이성으로서의 감정은 아니었다. 변명하듯 굳이 이야기하자면 오누이와 같은 감정이었다고나 할까? 이제 와 돌이켜보면 운명의 손톱에 생을 할퀴어본 상흔을 나누어 가진 오누이라고나 할까. 몽고반점처럼 시퍼런 멍을 가진 동족이라고나 할까.

5

스물두 살, 당시 법대 3학년생. 니가타에서 한 시간 반 더 가야 하는 도시 가시와자키 해변에서 여자친구와 데이트를 하던 도중, H는 북으로 끌려간다.

"칠월 삼십일 일 오후 여섯 시 반쯤이었습니다."

어떻게? ……그는 입을 열지 않는다. 칠월 삼십일 일이면 아직 훤한 여름이어서 해변엔 사람도 많았다. 그런데 어떻게? 일본에 돌아온 지 오 년, 그러나 그는 집요한 일본 언론에게도 입을 열지 않았다.

6

먼, 아니 가까운 과거의 서울, 우리는 단둘뿐이었다. 우리 둘의 진술은 다를 뿐 아니라 아무런 합치점도 없다. 모순된 것보다 더 끔찍한 상황이다. 나는 점심을 먹는 중이었다고 하고, 남편은 씻고 잠자리에 들려고 했던 참이었다고 말한다. 나는 남편이 식탁에 있는 컵을 내게로 집어던지며 나를 공격했다고 하고, 남편은 그날 밤 오랜만에 편안하게 잠들었다고 한다. 둘 중의 하나는 거짓말을 하고 있거나 과민성 신경증을 앓고 있는 것이 타당하다. 그리고 그중의 하나는 나다. 나는 신경과민증 환자냐 거짓말쟁이냐 두 갈래 길에 서 있다. 나는 거짓말쟁이의 패를 뽑아들고 싶었으나 심혈을 기울여 뽑으면 패는 대개, 어쩌면 자주, 종내에는 모두 다, 신경과민증 환자의 것이었다. 사람들은 거짓말쟁이보다는 신경과민증 환자의 말을 더 믿지 않는다. 거짓말은 가끔씩, 그들의 것이기도 하지만 신경과민증 환자는 대개 그들의 것이 되기는 힘든, 희귀한 질환이기 때문일 것이다. 한때 나의 남편이었던 그는 그것을 잘 알고 있었다. 생각해보면 그는 언제나 상식적인 진술을 하고 있었고 나는 비상식적인 진술을 하고 있었다. 나는 내가 당사자이고 증언자이기 때문에 내가 하는 진술이 비상식적이라는 것은 문제 삼지 않았다. 사실이야, 정말이라구! 하면 그만이라고 생각했으니까. 하지만 시간이 갈수록 나의 말을 믿어주지 않는 사람들이 늘어나는 것을 나는 차츰 느낄 수 있었다. 아주 친한 친구들까지도 그랬다. 설마, 하고 그들은 말한다. 그는 가장 뻔한 부정에서부터 가장 정교하고 고상한 종류의 합리화까지 일련의 인상적인 논쟁을 늘어놓는다. 저 여자가 거짓말을 한다, 저 여자가 과장을 한다,

저 여자가 초래한 일이다. 그리고 어떤 사건이든 이제 과거는 잊고 앞으로 나아가야 할 때가 되었다고! 말하는 것이다. 내 일만 아니었다면 훨씬 더 일찍 소름이 끼치는 표정으로 웃으며 진실이라는 것이 때로는 참으로 무력하다는 것을 깨달았을 것이다. 그런데도 진실은 정교한 거짓말들 앞에서 단지 이런 말들을 되뇌게 할 뿐이었다.

"아니에요. 그게 아니라구요. 참 아니라니까요 진짜!!"

나는 더 일찍 도망칠 수도 있었다. 거기에 억압은 분명 존재했지만 창살도 없고 담도 없다. 대개의 경우 묶여 있지도 않다. 그럼에도 불구하고 장벽은 매우 강력했다. 그것은 경제적 사회적 심리적 법적 종속…… 그리고 내가 머릿속으로 그렸던 내 미래에 대한 종속이었다. 그 종속은 너무도 부드러웠고, 너무도 천천히 시작되었으며, 사랑이라는 명찰을 달고 서 있었기에 나는 그것을 도무지 알아차리지 못했다. 나는 당시 나의 남편이었던 그가 연출하는 역할을 맡았다. 한 막이 끝나면 내 역할은 바뀔 수 있을 거라는 부질없는 희망…… 희망이라는 가면을 쓴 집착 때문이었다.

7

그날 밤 도쿄, 우리는 유리벽 너머로 아름다운 공원의 밤 풍경이 내다보이는 레스토랑에서 산뜻한 전채 요리와 파스타로 저녁을 먹었다. S출판사의 간부 몇이 따뜻하게 나를 영접했다. 그들은 내 친구나 동료들처럼 알타이 계통의 친근한 얼굴을 하고 있었고 선진국 일본의 국민들답게 정중했다. 술이든 물이든 마시는 일을 좋아하는 나는 이미 그들이 주는 대로 여러 병의 비싼 와인을 홀짝거리며 다 비워내고 있었다. 남 앞에서 예의 바르게 행동해야 하는 것을 지상명령처럼 여기고 있는 그들은 숨기는 일에 서투른 나의 직설적인 어법을 재미있어 했다. 그들은 유쾌하게 웃으며 나를 아주 훌륭하고 유명한 소설가라고 생각하고 있다는 것을 인사치레로 밝혔다. 일본이었기에, 나는 그냥 그들의 대접을 가만히 받아들이기로 한 터였다.

그들은 나를 데리고 다른 술집으로 자리를 옮겨 더 이야기를 나누고 싶어 했다. 나는 호방한 여자처럼 일본 술인 사케와 말 사시미를 먹어보고 싶다고 했다. 그들은 택시를 불러 나를 도쿄의 가장 유명한 말 사시미 집으로 데리고 갔다. 그곳에서 일본 사케를 주고받으며 1950년대 중후반과 1960년대 초중반에 태어난 우리 한국과 일본인 남녀 네 명은 일본과 한국 그리고 문학에 대해 커다란 소리로 웃으며 유쾌한 대화를 나누었다. 그때 그들 중의 하나가 내게 물었다.

"H씨가 납치되었던 일에 대해, 한국인으로서 어떻게 생각하십니까?"

나는 그 말을 통역해주는 H를 바라보고 미소를 지었다.

"인간이 인간의 생을 폭력으로 뒤바꿔놓는 일을 저는 가장 증오하고 있습니다."

그들이 천천히 고개를 끄덕이며 내게 건배를 권했다. 이해해주어서 고맙다는 뜻도 담겨 있었다. 맑고 순한 사케를 입에 다 털어 넣고 다시 한 잔을 받아 호기롭게 입에 대는 순간…… 몇 년 전 내가 찾아갔던 경기도 광주 '나눔의 집'에 거주하던 위안부 할머니들의 가시덤불 같은 얼굴들이 떠올랐다. 그 무렵 힘겹게 책장을 넘기던 기록들도 떠올라왔다. 술기운 때문은 아니었다. 아니, 술기운 때문이었다고 해도 좋고, 오로지 술기운 때문이었다고 해도 아무 상관은 없다. 갑자기 선명한 빨간색을 띤 싱싱한 말 사시미를 씹을 수가 없었고 술이 넘어가지 않았다.

이상한 일이었다. 그 밤, 그 술집을 나와 호텔 쪽으로 걸어

가다가 나는 걸음을 멈추고 머뭇거렸다. 나는 울먹이고 있었던 것 같다. 아마 술기운 때문이었을까. H가 걸음을 멈추고 의아한 표정으로 나를 바라보았다. "왜 그러세요?" 그가 물었고, 나는 아주 어렵게 입술을 떼었다.

"미안해요, H."

어이가 없다는 듯 H는 먼 곳을 보며 웃었다.

"그냥 미안해요. 내가 한국 사람이니까."

H는 맨손으로 얼굴을 한번 쓸어내리더니 힘없이 웃었다. 나는 아까 말 사시미를 마저 입에 넣을 수 없었을 때, 그때부터, 당신에게 미안해졌다는 말은 하지 못했다.

"왜 당신이 내게 미안하죠? 참 이상해요. 한국 사람들 나 만나면 그런 이야기 많이 해요. 착한 사람들이 그러는 것 같아요. 난 대답하죠. 뭐가 미안합니까? 당신들이 날 납치했던 것도 아닌데."

다음 날도 인터뷰의 행진은 계속되었다.

기자들이 또 물었다.

"H를 알고 계십니까? 어떤 느낌이 드나요?"

나는 이제 당황하지도 않고 천천히 대답했다.

"운명이라는 것에 대해 생각했습니다. 왜 착한 사람들에게만 저런 일들이 일어나는지 나는 그것이 알고 싶다고 생각했었습니다. 그런데 이제 H를 만나고 나는 어렴풋이 알게 되었습니다. 착한 사람들에게만 그런 일들이 일어나는 이유는 그들만이, 선의를 가진 그들만이 자신에 대한 진정한 긍지로 운명을 해석할 수 있기 때문이라는 걸 말이지요."

기자들이 고개를 갸웃했다.

8

편의상 미얀마 전선으로 끌려간 열네 살의 그녀를 순이라고 부른다고 하자. 순이에게도 이런 일들은 일어난다. 그들은 전선에 배치된 후, 칸막이로 겨우 가려진 방 속에 널브러진다. 순이의 증언은 이랬다.

그러던 어느 날 내가 일해주던 주인집 아들이 나를 강간하려 해서 나는 죽을힘을 다해 반항하며 겨우 빠져나왔다. 정신없이 빠져나와 부산 바닷가에서 눈물을 흘리며 내 신세를 한탄하고 있었다. 그때 갑자기 뒤에서 몇 명의 일본 군인들이 나타났다. 나는 반항하지 못하고 입과 눈을 틀어막힌 채로 군용 트럭에 실렸다. 당시 나는 열네 살이었다.

위안소에 군인들이 오는 시간은 정해져 있지 않고 졸병, 장교가 섞여 왔다. 하루에 상대한 군인의 수는 삼사십 명쯤 되었으나 공일날에는 군인들이 팬티만 입고 밖에 줄을 서 있을 정도로 많았다. 어떤 사람은 팬티까지 벗고 다른 사람이 하는 도중에 커튼을 열고 들어오기도 했다. 조금만 시간을 끌면 문밖에서 안에다 대고 "하야쿠, 하야쿠(빨리, 빨리)"라고 외치기도 했다. 전쟁터에 나가는 군인은 죽을 둥 살 둥 힘을 다해 하고, 어떤 사람은 울면서 하기도 했다. 자궁이 붓고 피고름이 나와 일을 할 수 없던 어느 날, 한 장교가 와서 일을 못하겠거든 대신 자신의 성기를 빨라고 했다. 나는 "네 똥을 먹으면 먹었지 그렇게는 못하겠다"고 했더니 마구 때리고 던지고 해서 나는 기절했다 깨어나니 사흘이 지났다고 했다.

9

나는 소주잔을 들고 노트북 앞으로 다가갔다. 창밖으로 무슨 소리가 들리고 있었다. 빗소리였다. 바람 소리도 거세어지고 있었다. 어제 해 질 무렵에는 서쪽 하늘이 홀연 열리고 가을의 표징 같은 새털구름이 하늘을 황홀히 뒤덮고 있었는데, 비가 온다는 예보를 들은 일이 없어서 설마, 하는 마음으로 창밖을 보자 어김없이 비가, 회색빛 도시를 적시고 있었다. 어쨌든 계절과 계절 사이에는 비가 있으니 이제 이 비가 가을과 겨울의 징검다리가 될 것이다. 기억도 할 수 없는 어린 시절부터 끈질기게 나는 소망을 가지고 있었다. 모든 세상의 밭에서 언어를 캐다가 다듬고 토막 내고 끓이며 맛이 있는 음식을 만들어내고 싶었다. 하지만 생각을 언어로 표현해 소통하고자 하는 행위는 언어 자체의 한계에 궁극적으로 방해받는다. 사랑하는 남녀가 육체를 사용하여 하나가 되려 하지만, 마지막에 결국 그 육체 때문에 결코 하나가 될 수 없듯이…… 글을 쓴다는 것은 생각이라는 훨훨 날아다니는 나비를 잡아 하는 수 없이 핀으로 고정시키고 상자에 넣는 일, 죽어 핀으로 고정된 채 상자 속에 넣어진 나비에게 다시 숨을 불어넣는 것은 그 글을 읽는 사람들의 숨결 없이는 불가능하다. 하는 수 없이 생명을 빼앗아 핀으로 꽂은 나비를 다시 살려낼 생각이 없는 사람에게 내가 어떤 나비를 잡아넣었다 한들 죽음과도 같은 딱딱한 사체만 만지게 될 테니까. 그럴 때 가끔 나는 영상이 부럽다.

……아니다. 영상 또한 글과 같다.

모든 운명은 새벽처럼 우리를 덮치기도 하고 안개처럼 서서히 스며들기도 한다. 김승옥의 「무진기행」의 한 장면은 그래서 내게 오래 각인되어 있다.

처음 만나 몸을 섞고 사랑에 빠지게 된 여자에게 남자는 묻는다.

"인숙이는 좋은 사람인가?"

여자가 대답한다.

"선생님이 그렇게 봐주시면요."

작가 김승옥에게 이 구절은 어떤 나비였을까. 나는 이 구절을 오래도록 마음속에서 데리고 살았다. 이 구절을 떠올릴 때마다 내 마음속에는 한쪽 날개를 찢긴 흰나비가 팔랑팔랑 삐뚜름한 비행을 하고 있었다.

10

H를 처음 만날 무렵 한국의 젊은이들이 아프가니스탄에서 탈레반에게 납치당하는 일이 일어났다. 그때 마침 내 조카가 미국에서 이 년 만에 한국에 다니러 왔다가 내게 들렀다. 조카는 한국에 살 때 탈레반에게 납치당한 젊은이들이

속한 그 교회에 다녔었다. 많이 울어서 눈이 발개진 채로 그녀는 우리 집으로 들어섰다. 오랜만에 장만한 음식을 권하면서 나도 젓가락을 자꾸 멈칫거렸다.

"만일 미국에 가지 않았더라면 나도 그들과 함께 그 봉사를 떠났을 거 같아. 재작년에 그들과 함께 아프리카로 봉사를 다녀왔었거든."

조카는 이야기를 마치며 어깨를 부르르 떨었다. 그랬다. 조카가 미국으로 간 것은 대단한 결단이 아니었다. 그들의 부모인 언니 부부가 그리로 떠났기 때문이었다. 그 몇 년 전 조카의 아버지인 형부는 9·11 테러가 있기 석 달 전쯤 급작스레 미국 지사에서 다시 한국으로 발령을 받았었다. 언니와 형부는 회사의 부당한 처분에 대해 강한 불만을 가지고 있었다. 그런데 석 달 후, 형부의 사무실이 있던 맨해튼의 쌍둥이 빌딩으로 비행기가 처박혔다. 급작스럽고 부당한 발령을 받지 않았으면 형부가 앉아 있었을 바로 그 층이었다. 조카는 자신의 아버지와 그가 다니던 회사의 납득할 수 없는 결정 덕택에, 목숨을 건진 자기 아버지를 보면서 어쩌면 운명이 인간들을 농락하고 있다는 것을 일찍이 깨달았을 것이다. 인간의 결정이 얼마나 가소로운 것인지도 알았을 것이다. 그것이 조카의 신앙을 더욱 두텁게 만들었을 것이었다.

"이모…… 몸이 잡힌다는 거, 내가 여기 무사히 살아 있다는 거…… 안전하다는 거. 그게 뭘까? 그리고 정말 그게 다일까? 그게 다가 아닌 거 같아."

너무 많은 충격을 받고 너무 많은 이야기를 듣고, 너무 많은 것을 깨달은 자가 그렇듯, 조카의 말은 두서가 없었고, 그리고 낮았다. 우리는 저녁을 먹을 때에도 그리고 저녁을 먹고 나서도 애써 그 이야기는 피했다. 굳이 뉴스를 시청하려고 하지도 않았다. 하지만 조카는 자꾸 코를 풀며 눈물을 닦았고 우리의 이야기들은 자주 끊겼다. 지금은 탈레반의 인질이 되어 삶과 죽음의 기로, 고통과 긴장의 극한에 있을 젊은 이들은 언젠가 내 조카와 함께 성가대에서 노래를 부르고, 여름 수련회에서 함께 카레라이스를 퍼 나르고, 그리고 순한 술을 홀짝이며 몰래 남자친구 이야기를 했을 것이었다. 아마 우리가 상상조차 할 수 없는 아프가니스탄 어떤 곳에 갇힌 그들도 그걸 기억하고 있을 것이다. 대단한 추억이랄 것도 없다. 자잘한 일상사, 그가 겪고 했었던 하찮것없는 일과와 사건의 언저리 속에서 그의 기억은 자꾸만 맴돌 것이었다. 전철을 타고 집으로 돌아와 열쇠로 문을 따던 일, 친구와 문자메시지로 재미있는 이야기를 주고받던 일, 스타벅스에서 카푸치노를 마시며 윗입술에 묻었던 하얀 거품을 혀로 핥으며 웃던 일, 일상이 박탈당할 때 일상의 기억들은 따스하게 흘러나와 넘친다. 빨간 눈으로 조카는 나를 바라보았다. 언젠가 이모처럼 소설가가 되고 싶다고 열심히 일기를 쓰던 초등학교 시절 그녀의 모습이 떠올랐다. 그녀는 나를 존경한다고 고백한 일도 있었다. 조카의 눈은 '왜?'냐고 묻고 있었다. 나는 시선을 돌렸다. 이 순간은 그녀가 믿는 신보다 내가 더 부담스러웠다.

"넌 운명이란 것을 믿니? 어느 날 운전면허 시험의 한 과정처럼 돌발 상황이라는 것이 생의 급브레이크를 밟게 하고, 우리가 믿었던 질서들을 뒤죽박죽으로 만들며 이성을 무력화시키고 상식을 비웃으며 단 한 번뿐인 우리 생의 모든 것을 똥창에 거꾸로 처박아버릴 수 있는 난데없고 어마어마한 힘을 가지고 있다는 것을? 인류가 생긴 이래로 그 운명이라는 것이 인간에게 그친 적이 없어. 여기 푸른 별 지구 위의 과거와 현재 그리고 동과 서에서."

나는 그녀에게 프리모 레비, 빅터 프랭클같이 어느 날 갑자기 아우슈비츠로 끌려간 이들과 어느 날 갑자기 부두에서 끌려가 성노예로 짓밟히는 순이, 혹은 가시와자키 해변에서 북한으로 끌려가 이십사 년 만에 일본에 돌아온 H 같은 사람의 이름을 굳이 거론하지는 않았다.

나는 얼치기 목사처럼 그냥 「욥기」의 이야기를 했다. 욥의 고통에는 이유가 없다. 신이 악마에게 그냥 그를 괴롭히도록 허용했을 뿐……이라는 이야기를. 그리하여 욥은 아내와 자식과 재산과 건강을 잃고 고통의 구덩이 한가운데로 던져진다. 왜? 훌륭하신 분들은 「욥기」가 성서에 포함된 이유에 대해 말했다. 그것은 고통의 불가해성에 대한 인류의 통찰이라고.

카인과 아벨은 어떠할까? 아벨은 죄가 없고 의로웠으나 죽었다. 요컨대 너의 종교나 희생 제사로도 이런 살해를 촉발하는 원인이 되는 것을 피하지 못할 것이다. 우리 모두는, 약자가 아니요 무고한 자였지만 죽어 사라질 존재로 선고된 자였던 아벨의 족속이다. 우리 모두란, 권세, 무기, 통치권을 소유한 카인의 족속들을 포함한다. 카인과 아벨은 둘 다 헛됨의 내부에서 분리될 수 없는 한 쌍이다, 라는 말을 읽은 적이 있어. 나는 두서없이 말했다. 그러나 나의 말들은 헛되고 헛되었다.

왜? 라는 질문에 왜냐하면, 이라는 대답은 듣지 못한 채로 조카는 할머니 댁으로 돌아갔다. 밤일을 좋아하지 않는 나이지만 글을 쓰기 위해 진한 커피를 세 잔이나 마시고 있는데 학원에 갔던 딸이 돌아왔다. 딸은 그 무렵 글을 힘겨워하고 있던 나를 이해하고 있었다. 내 허무한 시선을 알아차린 영리한 딸은 사과를 베어 물고 내게 다가오면서 무심히 말을 꺼냈다.

"왜 그러고 있어?"

"그냥 써야 하나? 정말 써야 하는지 생각하느라고."

"그래? 엄마 좀 오래전에 말하곤 했어…… 언젠가 나도 글을 다시 쓸 거야. 꼭 써야 해."

순간 오래된 일기장의 고통스러운 기록을 발견한 것처럼 잠깐 숨이 멎는 듯했고 가슴 한구석으로 긴 시간들이 지나갔다. 칠 년이라는 시간이었다. 내가 글을 쓰지 못하고 지냈던 그 시간들. 나는 벌써 그때의 시간들을 다 잊고 내가 언제나 글을 써왔다고 생각하고 있었다는 것을 알았다.

11

딸은 대학 2학년이었다. 그 무렵의 나도 대학 2학년이었다. 그 무렵 변증법적 유물론과 유물론적 세계사와 인식론과 경제학들, 내가 밑줄을 그어가며 청춘을 지불했던 그 활자들은 내게 많은 것들을 주었다. 나는 처음으로 세상을 움직이는 거대한 힘이 있다는 것을 알게 되었고 그것의 도면을 그려낼 수 있다는 것도 인지했었다.

아주 쉬운 예를 들어 1차 대전은 교과서에 씌어 있던 대로 세르비아 황태자의 암살 사건 때문에 일어난 것이 아니라 선발 제국주의와 후발 제국주의 시장 다툼에서 일어났다는 사실 같은 것 말이다. 그 지식들은 내게 돈이 세상을 움직이는 위력에 대해 알려주었으며, 교과서가 늘 바른말을 하는 것이 아니라 대개는 정권이 알려주고 싶은 말을 알려준다는 것을 알려주었으며, 아직도 1차 세계대전이 세르비아 황태자의 암살 때문에 일어났다고 믿는 사람들은 바보이거나 정권에 적당히 기대고 싶어 하는 보수 꼴통일 거라는 지레짐작을 알려주었다. 그리하여 그 결과, 나는, 돈이 없어도, 권력이나 직함이 없어도 세르비아 황태자의 암살 때문에 1차 세계대전이 일어났다고 믿는 부류들보다 내가 훨씬 더 세상을 많이 안다는 오만을 가지고 살게 되었다. 그리고 그것은 얼마간은 옳았고 얼마간 옳은 것이 가지는 얼마간의 미덕이 늘 그렇듯이, 한동안은 빈 지갑을 가슴에 품고도 당당하게 거리를 활보하는 데 쓸모가 있긴 했다.

하지만 그 책들은 내가 깊은 밤, 슬픈 꿈에서 깨어나 아직도 귓가로 흘러내리는 눈물을 닦으며, 대체 내가 무슨 꿈을 꾸었지, 하고 생각하는 동시에 아직도 남은 울음의 끝을 입 밖으로 쏟아내다가 스스로 내 입을 틀어막아야 할 때, 그 때는 아무 소용이 없긴 했다. 집을 나가 돌아오지 않는 남편 을 기다리며, 경찰서와 병원과 예전에 남겨두었던 그의 친구 들에게 전화를 걸어 "예에…… 아니요, 걱정이 되는 건 아니 구요, 그렇게 시간이 많이 흐른 것도 아니구요, 그냥 한번 혹 시나 해서요" 하고 애매한 웃음을 흘리던 그런 시간에, 난장 판이 된 집 안에서 아이가 다칠까 집 안 곳곳의 유리 파편 을 치우며, 내 생애의 기록들 중에 이혼의 기록이 하나 더해 진다면, 이제는 나 자신마저 나를 배반하게 될까, 생각하던 귀기 어린 시간 속에서는 소용이 없긴 했다. 그때 1차 대전 이 세르비아 황태자를 암살해서 일어났든, 제국주의 열강들 의 식민지 세력 다툼으로 일어났든 그건 아무 소용이 없다 는 것을 알게 되어버린 것이었다. 그리하여 누군가 제1차 세 계대전은 왜 일어났나요? 묻는다면, "네, 그건 당연히 세르비 아 황태자가 암살되었기 때문이에요!"라고 소리를 지르고 싶 은 충동에 시달렸다. 물론, 아무도 내게 그것을 묻지 않았다.

그렇게 비슷한 스무 살을 보낸 친구와 나는 비슷한 환경에 서 자란 고만고만한 여대생들이었다. 친구와 나는 세르비아 황태자의 암살이 제1차 세계대전을 일으키지 않았다는 것을 안다는 사실이 우리의 지적 허영심을 은밀하게 채워준다는 것을 알고 있었고, 조셉 콘라드의 『암흑의 핵심』을 가지고 함께 논문을 썼었다. 거기까지 우리 삶의 행로는 지나치게 일치했다. 다만 결혼을 하고 친구는 시인이 되고자 했으나, 나 혼자 소설을 쓰게 되었고 그녀는 그저 눈 밝은 독자로 남아, 마음이 따뜻한 남편과 두 아들과 함께 내 이웃 도시에 살고 있었다. 그녀의 남편은 그녀가 아이를 낳고도 언제나 틈틈이 지역 도서관에서 책을 빌려 읽는다는 사실을 아내에 대한 최고의 자랑으로 삼는 사람이었다. 언젠가 내가 결혼 생활 중에 손톱으로 얼굴을 잔뜩 긁힌 채로 정형외과의인 그녀의 남편에게 진단서를 떼러 갔을 때, 나는 그만 그의 따스하고 연민 어린 눈길을 보아버렸다. 그것은 그저 내 친구가 "좋은 남편하고 행복하게 산다"라는 한 문장으로 치환될 수 있는 종류의 경험은 아니었다. 그때 내 친구는 남편에게 이렇게 선하고 따스한 눈길을 받으며 산다고 생각하자, 얼굴을 손톱으로 북북 긁힌 채로 그녀의 남편 앞에 앉아 있는 것이 생각보다 훨씬 더 비루하고 비참하게 느껴져서 아무리 부끄러워도 그냥 다른 병원으로 갈걸 깊이 후회하기도 했다. 그제야 나는 그 애와 내가 영영 다른 왕국의 시민인 것을 알았고 우리가 한때 아무리 1차 대전이 세르비아의 황태자 암살 때문에 일어난 것이 아니라는 것에 동의해도 이제 다시는 그녀에게 나와의 동질성을 이야기할 수 없을 것만 같았다. 나는 그녀를 이웃 왕국에게 영원히 빼앗긴 것 같은 느낌이 들었다. 나는 갑자기 가슴이 죄는 듯한 아픔을 느끼고 두 손으로 얼굴을 가렸다. 병원을 나서는데 비가 내리고 있었다. 내게는 우산이 없었는데 하늘까지 언제나 내 편이 아닌 것 같았다.

"만일 하느님이 너를 만들었다면, 어쩌면 네가 그냥 평범한 결혼 생활 속에 안주하는 것을 바라지 않을지도 모르잖아. 말하자면 너의 소명…… 같은 게 그게 아닐 수도 있잖아."
나는 무표정했고 착한 내 친구는 울먹였다. 친구는 아직도 내가 조금만 노력을 한다면 자신의 왕국의 입장권을 사서 그 시민이 될 수 있다고 생각하는지도 몰랐다. 얼굴에 피 비가 내리듯 죽죽 그어진 상처에 앉았던 딱지가 떨어질 무렵이었던 것 같다. 나는 그 겨울 내 얼굴을 가리고 다니던 마스크를 벗고 깊은 숨을 내쉬었다.

"운명이 생을 덮치는 경험을 했던 사람들은 안다. 그 포충망 속에 사로잡히고 나면 시간은 흘러가는 것이 아니다. 그것은 단지 회전하고 있을 뿐이다. 고통을 중심으로 하여 빙글빙글 돌아가고 있는 것이다. 다만 하나의 슬픔의 계절이 있을 뿐이다"라고 어느 날 갑자기 동성애자라는 이유로 구경거리가 되어 런던 감옥에 갇혀야 했던 오스카 와일드는 썼다.

12

나는 H와 세 번을 더 만났다. 두 번은 도쿄였고 한 번은 서울이었다. 그와 함께 도쿄 거리를 걸어갈 때 많은 사람들이 그를 알아보고 인사를 건네거나 사인을 받으러 왔다. 문득 중얼거리듯 그가 말했다.

"영원히 평범해질 수 없는 그런 슬픔 아시죠?"

그가 내게 물었다. 내게 왜 그런 질문을 하냐는 듯이 내가 그를 잠시 올려다보았지만 그는 딱히 나를 보고 있지는 않았다. 그래, 운명의 수용소 출신들은 서로를 알아본다. 그것은 그들의 마음속에 피로 새겨진 수인 번호일지도 모른다. 그것은 투명하나 이미 그 낙인을 찍혀본 사람들은 그것을 본다. 미묘한 냄새로 동족을 감지하는 것이다. 처음 만난 순간 그와 나는 그 냄새를 감지했던 것일까?

그리고 일 년 후 와세다대학 한국문학의 밤에서 우리는 다시 만났다. 국제 문학대회였던 것으로 기억하는데 많은 사람들이 참석한 자리였다. 아마도 스웨덴인이라고 기억하는 사람이 내게 물었다.

"북한이라는 사회가 대체 문학이라는 것이 있기나 한 사회이며 당신은 같은 한국인으로서 어떻게 그것을 생각합니까. 여기 H라는 사람은 거기에 납치되어 이십사 년이나 억류되어 있다가 풀려난 사람이라는데 거기에 대해 어떻게 생각합니까?"

마음이 구정물을 뒤집어쓴 듯 울컥했다. 나보다 먼저 H가 마이크를 들었다.

"그것은 여기 이분과는 아무 상관이 없습니다. 그곳의 독재자가 민중 그 자체와는 아무 상관이 없는 것처럼요. 그곳에 사는 작가들도 한때 당신들이 2차 대전이나 아우슈비츠에서 그랬듯 혹독한 운명을 겪고 있는 것은 아닐까요?"

나는 눈을 들어 새삼 H를 보았다. 나는 H를 떠올릴 때마다 그 생각을 하고 있었던 터였다. 그날 저녁 H는 사람들과 떨어져 나와 몇몇이서만 따로 술을 마시자고 했다. 뜻밖의 제안이었다. 약간의 취기가 올랐을 때 H가 말했다.

"어떻게 살았느냐고 당신은 내게 여러 번 물었지요? 죽고

싶지 않았느냐고 당신은 내게 여러 번 물었지요? 아니요, 죽
겠다, 하는 생각은 했지만 신기하게도 죽고 싶지는 않았어요.
그 말 알아요? 아우슈비츠에서 자살한 사람보다 지금 도쿄
에서 자살하는 사람이 훨씬 더 많다는 것. 그런데 어떻게 살
았느냐? 희망을 버리니까 살았죠. 아이들이 태어났고 저 아
이들을 위해서 살자, 일본에 돌아갈 꿈을 포기하자…… 아
니 희망을 버린 것이 아니라 운명이 내 맘대로 내가 원래 계
획했던 대로 돼야 한다는 집착을 버린 거죠…… 그래서 살
수 있었어요."

그리고 잠시 후 그는 물끄러미 나를 바라보더니 너무나도
선량한 얼굴로, 그러나 서글픈 얼굴로 씨익 웃었다.

13

밤새 마음이 지쳐서 어둠에조차 위안을 받지 못한 채 속
수무책으로 맞이해야 하는 그런 아침이 있다. 그렇게 육체를
데리고 있기 힘들었던 어느 날 아침, 나는 일어나 습관처럼
촛불을 켜놓고 십자가 앞에 앉아 있었다. 언제나 그렇듯 「시
편」으로 이루어진 기도를 바치려고 책을 폈다. 그런데 그날

의 「시편」의 첫 구절을 보는 순간 언어들이 화염처럼 내게 쏟아졌다.

지나온 상처마다 악취가 가득하오니, 내 어리석은 탓이오이다.

이른 아침이었는데, 이제 곧 잠에서 깨어날 아이들이 들을까 봐 한 손으로 내 입을 틀어막았다. 활자들이 내 고름 고인 가슴을 갈고리처럼 파고 있었다. 그러나 그것이 고통이라 하더라도 정확히 과녁을 맞히는 모든 것들은 어떤 쾌감을 동반한다. 그 구절에는 분명 그런 것이 있었다. 그런 고통은 우리를 불꽃처럼 정화한다. 우리는 불필요한 것들을 다 태워버리고 숯덩이처럼 맑아진다.

그러나 모호한 고통, 희뿌연 연기를 피워 올리는 듯 악의 어린 말투, 몸짓. 입으로는 미소 짓고 있으나 경멸 어린 눈빛들. 이중으로 해석될 수 있어서 미묘한 뉘앙스에 따라 욕도 칭찬도 될 수 있는 말들. 그런 것들은 우리를 서서히, 그러나 치명적으로 병들게 한다. 나는 안다. 인간은 언어로써가 아니라 영혼으로 소통한다. 나는 가끔 어떤 사람을 떠올려야 할

때, 내가 기억하고 있는 영상에서 음을 소거시켜버린다. 그러면 뜻밖에도 그때, 나의 기억과는 아주 다른 영상들이 그 소리 없는 화면 속에서 드러난다.

힘이 있는 인간들은 힘이 없는 인간들을 죽게 할 방법을 천 가지쯤 가지고 있다. 가끔 정신과 물질을 모두 내게 의지하고 있는 내 아이들을 보면서 나는 권력이 얼마나 악에 물들기 쉬운 것인가를 깨닫고 소스라친다. 내가 마음먹으면 나는 아이들을 때리거나 고문하지 않고도 아이들을 정신병자로 만들거나 불구가 되게 하거나 이상행동을 하는 사람으로 만들 수 있다. 그들이 나를 사랑할수록 그들이 나를 의지할수록, 나 이외의 것에 그들이 속수무책일수록 그것은 너무나도 쉬운 일이다.

희망이 절망적인 유혹이 되지 않기 위해서 우리가 제일 먼저 해야 할 일은 희망을 버리는 것이라는 것을 나는 그때는 몰랐다. 풍랑을 만난 배가 물결을 헤치고 그저 앞으로 갈 수밖에 없듯이 온몸으로, 온몸으로 물결을 받아들이는 수밖에는 아무 방법이 없다는 것을 나는 몰랐다. 그리하여 그것을 받아들일 때까지, 그것이 운명이라는 것을 받아들일 때까지,

쓰나미처럼 우리를 덮치는 불행이라는 것이 생의 한 속성이라는 것을 받아들일 때까지, 우리는 늪 같은 운명 속으로 빨려 들어간다. 그리하여 어떤 순간 정신을 차려보면 과거의 어리석음이 고름처럼 악취를 풍기는 인생의 어떤 해안에 서 있는 것이다. 운명은 그것을 알아차리지 못하는 인간들 앞으로 너무도 다양한 방식의 불행을 동원해, 잔혹하고도 정확한 조준을 하며 각개 약진해오는 것이다.

14

H와 만나던 그 무렵 나는 위안부 할머니들이 거주하는 나눔의 집에서 열린 학술 세미나에 참석하게 되었다. 일본의 공식 사과와 배상을 받아내기 위한 여러 가지 모색을 도모하고 국제사회에 이를 알리는 방향에 대한 세미나가 끝날 무렵 몇몇 할머니들의 소감을 듣는 자리가 마련되었다. 그때 어떤 할머니가 말했다.

"안 돼!(아마도 무언가 온건한 방법으로는 안 된다는 이야기였을 것이다) 그런 걸로는 못 갚아! 일본인 젊은 기집애들 강제로 끌어다가 우리 젊은 애들한테 던져줘버려!"

정확한 기억이 맞는지 모르겠으나 내용은 이보다 더 충격적이었던 것 같았다. 세미나가 마무리되던 실내로 일순, 경악스러운 침묵이 정전처럼 찾아왔다. 나 역시 앞이 약간 캄캄해지는 기분이었다. 할머니는 두 다리를 탁탁 비비며 어린아이처럼 울부짖고 있었다. 그녀가 위안부로 끌려간 지, 혹은 그녀가 위안부에서 풀려난 지 반세기가 지나가고 있었다. 그런데 아직도 울 수 있는 저 회한…… 저주, 혹은 원한. 비로소 상처의 깊이가 실감이 났고, 가해자와 피해자가 뒤엉켜 아수라장이 되어버린 광경이 환영처럼 선명해졌다.

말 사시미를 먹으며 유쾌하게 이야기를 나누던 일본인들…… 북한에 끌려갔다 돌아온 H의 생에 대해 어떻게 생각하느냐 묻던 일본인들을 나는 떠올리고야 말았다. 진정으로 가슴이 아팠기에, 가슴 아팠다고 대답했다. 그리고 잠시 후, 빨간 말 사시미를 겨우 삼키고 내가 물었다.

"위안부 문제에 대해서는 어떻게 생각하십니까?"

올 것이 오고야 만 것일까. 해쓱해지던 그들의 얼굴. 그들이 말했다. 약간 웃으며 그랬다.

"그거야 아직 역사적으로 해명된 일도 아니고……."

북한 역시, 납치에 대해 공식 시인한 일이 없다.

사시미를 사주던 유쾌한 일본인들은 나를 애국자로 만들었고 나는 그게 정말 싫었다.

15

친구와 나는 그 이후로는 그냥 책 이야기만 했다. 아이들 이야기도 했다. 가끔 그녀의 시댁 이야기와 나의 친가 이야기도 했다. 그리고 우리는 프리모 레비 이야기를 했다. 가끔 그의 글이 아우슈비츠의 절망에 대한 이야기인 것조차 잊을 때가 있다고 나는 고백하곤 했다. 화강암에서 빛나던 반짝이는 그것이 운모였구나, 생각하고 초록 연필로 '운모' 밑에 밑줄을 그었다는 이야기. 그러고는 잠시 고개를 들어 창밖으로 투명한 가을볕을 바라보면 온 세상이 화강암 위의 운모처럼 빛 아래서 반짝반짝했다는 이야기. 그리고 그중 어떤 구절이 나를 건드리고 지나갔다는 이야기. 그건 바로 이런 구절들, "나는 속으로 말했다. 이게 뭔지 알게 될 거야. 이 모든 것을 알게 될 거야. 하지만 그들이 원하는 식으로 알고 싶지는 않아…… 자물쇠를 열 도구를 내가 직접 만들 거야. 억지로라도 문을 열 거야." 이 희망찬 구절들이 나를 속수무책으로 멍하게 만들었다고. 그러면서 나는, 오래오래 지나 어쩌면 전생처럼 느껴지는 어떤 여름을 생각해보게 되었다고. 눈 시린 푸른 바다, 흰 갈기를 휘날리며 말 떼처럼 달려들던 파도들, 상앗빛 모래사장, 그 위에 앉아 한 움큼 내 손에 움켜쥐었다 놓았을 때 손바닥에 납작 붙어 떨어지지 않던 반짝이는 작은 가루들. 내가 그때 만일 스물두 살이었다면 그것을 사금이라고 부른들 무엇이 두려웠을까, 하고.

하지만 삶은 뼈저린 궤도로 원을 그리며 운행하고 있었다. 돌고 돌아도 그 자리에 서면 또 어깨가 시렸다. 하지만 외로웠기 때문에, 고통스러웠기 때문에 나는 돌진하고 있었다. 어디로? 이제 와 생각하면 그 방향은 문제가 되지 않는다. 내가 만일 좋은 사람과 좋은 사람이 되어 살고 있었더라면 어떻게 되었을까? 글쎄, 그것은 아무도 알지 못한다. 나는 다만 친구에게 재잘거렸다.

이런 구절을 읽었어. "다만 우리가 숨 쉬는 공기 속에는 이른바 비활성 기체라는 것이 있다. 이것들은 박식하게도 그리스어에서 따온 진기한 이름을 갖고 있는데 각각, '새로운 것(네

온)', '숨겨진 것(크립톤)' 그리고 '낯선 것(제논)', '움직임이 없는 것(아르곤)'이라는 뜻을 지닌다. 이들은 정말 활성이 없어서, 그러니까 자신들의 처지에 만족하고 있어서 어떤 화학 반응에도 개입하지 않고 다른 원소와 결합하지도 않는다. (……) 그 가운데는 공기의 일 퍼센트를 차지할 정도로 상당히 많은 양이 존재하는 아르곤, 곧 '움직임이 없는 것'이 있는 데도 말이다. 다시 말해 그 양은 이 지구상에서 생명체의 흔적이 유지되는 데 없어서는 안 되는 이산화탄소보다 스무 배 또는 서른 배나 많은 양이다." 신기하지 않니? 원소들이 제 처지에 만족하고 있다는 표현이라니.

네온, 크립톤, 제논 그리고 아르곤 들 같은 친구는 가만히 고개를 끄덕였다. 그녀 주변에는 그렇게 네온, 크립톤, 제논들이 있었고 한때 그렇지 않은 내 친구들도 모두 그런 원소로 변해 있었다. 나는 아르곤이 되고 싶었지만 이미 그럴 수 없었다. 하다못해 크립톤, 하다못해 제논, 하다못해 안정된 그 무엇이라도 되고 싶었지만 언제나 그 원소 군에의 입장을 제지당했다. 마지막 출구도 봉쇄되었다. 내 인생은 난파했고, 나는 이곳이 어디인지 도무지 알 수 없었다. 내 온몸은 상처들로 가득했다. 나는 먼 훗날 있을 싸움을 유리하게 이끌기 위해 병원에 가서 떼어두었던 진단서들을 다 찾아 찢어버렸다. 나는 내 인생이 이런 진단서를 제출하고 그 남자가 나쁜 인간이라는 것을 만천하에 증거하고 불타는 전투욕으로 이 세상 모든 핍박받는 여성들을 위하여 법정에 선, 전사가 되도록 만들고 싶지 않았다. 하지만 나는 이제 더는 내려갈 수 없이 비뚤어졌고, 모든 행복해 보이는 것들에 대해 극도로 민감했으며 망가지고 있었다. 나는 "그만둬라 한스 한젠, 외로워서 우는 왕이 네게 무슨 상관이겠니?" 울부짖던 토마스 만의 토니오 크뢰거 같았다. 그러던 어느 날 친구가 문자메시지를 보내왔다. "『우리들의 행복한 시간』을 읽었어. 넌 왜 이 책을 썼니? 프리모 레비가 아니라 너." 나는 그것을 들여다보았다. 그리고 물었다. 넌 왜 이 책을 썼니? 프리모 레비가 아니라 너…… 그러니까 나.

16

삶의 어떤 순간, 우리는 바람결이 바뀌는 것을 느낀다. 초가을의 어느 날, 초봄의 어느 날…… 혹은 서풍이 불어 비를 예고하는 무더운 여름날. 그날 그 순간 나는 내 마음속에서 미세하게 변화하는 바람결을 느꼈다. 아직 그것이 서풍인지 동풍인지 알 수는 없었지만 서서히 무언가가 방향을 선회하고 있었다.

나는 뜨거운 욕조에 몸을 담그고 가만히 있었다. 마음속에서 내가, 오래도록 재잘거리던 나에게 말문이 막혀 침묵하던 내가 더듬거리며 내게 물었다.

"너는 왜 이 책을 썼니?"

대답할 새도 없이 입술이 뒤틀리며 눈물이 쏟아지기 시작했다. 이런 당황스러운 사태에 처하면 언제나 그랬듯 내 마음은 둘로 갈라지고 있었다. 그 첫 번째 감정은 어이가 없다는 것이었다. 책이 출간된 지 벌써 이 년이 지난 시점이었다. 거의 백 번에 가까운 인터뷰, 독자들과의 대화를 통해 나는 이 질문을 들었었다. 나는 대답했었다. 생명, 소통, 용서…… 그리고 그 질문들에 당연히도 너무나 작가다운 대답들을 했었다. 그런데 벌거벗은 채로, 욕조에 몸을 담근 채로 나는 울고 있는 것이다. 너는 왜 이 책을 썼니, 하는 그 물음 하나에 말이다.

하지만 무언가가 분명 내 속에서 방향을 틀고 있었다. 운명이 직접 우리를 겨냥해서 우리의 이름을 부르면, 두려움과 불안의 저 밑바닥에서 일종의 끌어당기는 힘. 인간은 어떤 대가를 치르고라도 목숨을 부지하려고 하면서, 다른 한편으로는 무슨 일이 있더라도, 위험과 죽음을 무릅쓰고라도 운명을 접해보고 받아들이려고 하기 때문이라고 말한 이가 프리모 레비였던가 아니면 역시 아우슈비츠에서 살아온 빅터 프랭클이었던가 아니면 나였던가. 나는 욕조의 미지근한 물속에서 벌거벗고 웅크린 채로 운명의 부름에 답하겠다고, 내가 계획했던 모든 희망을 버리고 가보겠다고, 그 끝에 무엇이 있는지 보러 가기 위해서가 아니라 그냥 그가 부르니까 내가 대답하겠다고, 봄이 오면 꽃이 피고 바람이 불면 잎이 지듯 그렇게 단순하고 단순하게, 그렇게 하겠다고 마음먹었다.

17

H는 대학 3학년생이었다. 그는 스물두 살, 여자친구와 해변에서 데이트를 하고 있었다. 여자친구의 부탁을 받은 그가 잠시 음료수를 사러 간 사이, 여자친구는 바다에서 솟아오른 정체불명의 검은 물체 둘에 의해 입을 틀어막힌 채 바다 속으로 끌려간다. 데이트를 하는 여자친구를 기쁘게 해주려고 음료수를 손에 든 채로 바닷가로 돌아온 H 역시 잠시 후 잠

수함에 태워져 끌려간다. 그때 그는 신발이 벗어져 맨발이 되었다고 했다. 옛이야기에 나오는 어떤 나라 어떤 바다, 신화 속의 용이, 이렇듯 경쾌하고 신속하며 비밀스레 두 남녀를 해치울 수 있단 말일까.

18

돌아보니 새벽이 이미 절정처럼 창을 덮친 후였다. 보랏빛과 오렌지빛, 잿빛과 푸른빛들이 하늘을 휘돌고 있었다. 나는 이제 잠들기를 포기하고 내일, 아니 몇 시간 후 떠나게 될 아침을 맞으려고 결심했다. 막 자리에서 일어나려는데 문자 메시지가 오는 소리가 들렸다. 시계를 올려다보니 새벽 다섯 시, 친구였다.

함부르크에서 자동차로 한 시간 반을 달려 도착한 뤼베크는 동화처럼 아름다운 도시였어. 내가 이야기하지 않아도 넌 결국 쓰게 되겠지. '그럼에도 불구하고' 말이야. 토마스 만의 말대로 "그야 어쨌든! 한 인간이 성장해가는 것은 운명이다." 나 내일은 아우슈비츠로 떠난다. 잘 지내!

19

몇 년 전 나는 폴란드 여행길에 아우슈비츠를 들렀었다. 예정되어 있던 일정이었다. 여행을 떠나기 며칠 전부터 나는 그곳에 들를 일이 실은 걱정이었다. 언젠가 음악을 하는 후배가 그곳에 들어서자마자 허리를 휘청 꺾으며 그대로 기절했다는 이야기를 들었기 때문이었을 것이다. 사춘기 시절, 그 지겨운 조회 시간에 기절 한번 해보는 것이 소원이었을 만큼 튼튼한 나는 내 신경이 혹시 그 후배처럼 섬세할까 봐 겁이 났나 보다. 크라카우를 출발한 버스가 아우슈비츠에 도착할 무렵엔 비가 내리고 있었다. 머리카락보다 가느다란 비였다. 멀리서 몇 킬로미터나 되는 거대한 아우슈비츠 수용소가 연한 회색 구름 아래로 펼쳐지고 있었다. 그것은 뜻밖에도 고즈넉하고 평화로워서 얼핏 아름다운 유럽의 일상적 풍경처럼 보였다. 그 입구에 쓰인 독일어 구호 '노동만이 너희를 자유롭게 하리라'라는 글귀는 건전하기까지 했다. 나는 기절하지 않았다. 그 수용소 진열장에 작은 언덕처럼 쌓인 잘려진 머리카락들, 신발들, 아이들의 부서진 인형들의 규모가 내 상상을 훨씬 더 넘는 것들이어서 그저 어안이 벙벙했을 뿐이었다. 단테가 『신곡』에서 묘파해낸 지옥의 입구 '여기 들어오는 자 모든 희망을 버려라'라는 말이 입가를 뱅뱅 돌았다. 두 시간 남짓 우리는 그 죽음의 수용소를 돌았다. 마지막으로 당도한 곳은 시체를 태우는 소각장이었다. 반지하라고나 할까, 텅 빈 듯한 공간에 난로 같은 것들이 놓여 있었다. 죽음의 흔적도, 기미도 느껴지지 않는 것이 이상할 정도로 평범한 공간이었다. 아니, 이미 나 자신이 그 죽음 속에 들어와 있기에 모든 것이 무감각했는지도 모른다. 군데군데 뚫린 작은 창문 밖으로 잘린 머리카락처럼 가느다란 비는 쉴 새 없이 내리고 있었다. 그때 시체를 소각하는 난로 같은 기구 옆으로 영국의 가톨릭교도들이 아우슈비츠에서 죽어간 사람들을 위해 바친 비석 하나가 눈에 띄었다. 우리를 인솔한 분이 비석에 새겨진 그 글귀를 해석해주었다. 성서의 한 구절이었다.

어두움이 빛을 이겨본 적이 없다.

순간 다 합쳐서 오십 개도 되지 않는 이 철자들이 아우슈비츠를 떠받치고 있는 그런 이상한 느낌에 나는 사로잡혔다. 몇십만 평방킬로에 이르는 아우슈비츠에서 행해진 악과 비참과 말살과 공포를 한쪽 추에 달고 이 글자 조각들을 다른 쪽 추에 단다면 양쪽이 아주 팽팽해질 것 같은…… 그때처럼 언어의 위대함을 생생하게 느껴본 적은 그 후로도 다시 없었다.

20

"세련되고 상궤를 벗어난 것, 악마적인 것을 궁극적 목표로 삼고 그것에 깊이 열중하는 자는 아직 예술가라 할 수 없습니다. 악의 없고 단순하며 생동하는 것에 대한 동경을 모르는 자, 약간의 우정, 헌신, 친밀감 그리고 인간적인 행복에 대한 동경을 모르는 자는 아직 예술가가 아닙니다. 평범성이 주는 온갖 열락(悅樂)을 향한 은밀하고 애타는 동경을 알아야 한단 말입니다!"

평범성이 주는 온갖 열락을 향한 은밀하고 애타는 동경! 이라는 「토니오 크뢰거」의 이 구절을 넌 이해할 수 있을까? 토마스 만이 평생 단 하나 이 구절만을 썼다 해도 나는 그를 좋아했을 거야……라고, 라고 쓰다가 나는 문자메시지를 취

소해버렸다. 그리고 처음부터 다시 썼다.

"그래 어쨌든 한 인간이 성장해가는 것은 운명이다! 좋은 여행 되기를!"

21

결국 나는 한잠도 자지 못했다. 눈이 빡빡하고 피곤했다. 그러나 마음속 깊은 곳으로부터 어떤 따뜻한 기운들이 올라오는 듯했고 그것은 약간의 나른함을 내포한 것이었다. 전화벨이 울렸다. 신 기자였다.

"일본 가서서 H씨에게 물어야 할 거 대충 정리해서 메일로 보냈어요, 너무 신경 쓰실 필요는 없고 참고로만요. 아무래도 나보다는 선배가 H씨를 더 잘 알겠지?"

우리는 그리고 날이 차가워지니 옷을 따뜻하게 입으라는 등의 소소한 일상의 이야기를 했다. 그러다가 그녀가 내게 불쑥 말했다.

"실은 나 한 달 전 출장 다녀오는 길에 유산했어요."

나는 대꾸를 할 수가 없었다. 그녀 나이 서른둘. 고만고만하게 자라 고만고만한 다른 이들보다 많이 뛰어나서 고만고

만한 언론사에 들어간 그녀.

"이토록 운명의 벽이 단단하다는 것을 느껴본 것은 처음이었어. 투명 유리창에 머리를 꽝 부딪힌 것 같다고나 할까? 그때 선배 생각했어."

"내 생각을 왜?"

"글이 우리를 구원할 수 있다는 말…… 선배가 그런 말 했거든. 그 말 생각한 거야. 그래서 병가 내고 책 많이 읽었어. 읽었던 책도 또 봤는데 세상으로 향하는 문이 하나 더 열리는 그런 느낌. 그 문을 여는 열쇠는 고통이었어, 운명처럼 보였던."

"그래? 내가 그렇게 거창한 말을 한 거 보니 꽤 젊었던 시절이었나 보지?"

신 기자는 웃었다.

"어제 H씨에게 질문할 거 뽑으려고 하다가 선배랑 내가 인터뷰한 글을 다시 보았지, 선배가 그랬더라구. 죽고 싶었지만 신기하게도 진짜로 죽으려는 생각은 하지 않았어요. 이상하게 운명에 대한 대결 같은 거. 그것은 맞서는 대결이 아니라 한번 껴안아보려는 그런 대결이었는데, 말하자면 풍랑을 당한 배가 그 풍랑을 이기고 가는 유일한 방법은 그 풍랑을 타고 넘어가는 것 같은 그런 종류의 대결…… 내게 이것을 가

르쳐준 것은 글이었는데 글은 모든 사람의 가슴에서 넘치다
가 엎질러져 나오는 것이고 그렇게 엎질러져 나온 글들은 상
처처럼 빨간 속살에서 터져나온 석류 알처럼 우리를 기르고
구원하니까요, 했더라구."

　나도 모르게 내 입에서 낮은 탄성이 나왔다. 신 기자는 음,
하고 망설이더니 대답했다.

　"겨우 삼 년 전이야. 그때도 선배는 망설이다가 이렇게 말
했댔어. 적어도 내게는 그랬어요. 그리고 그렇게 되고 있고,
아마도 앞으로도 그럴 거예요. 그래 적어도 내게는…… 그
래…… 그래야 하지 않을까요? 이랬다구."

　나는 여행 가방 안에 토마스 만의 『토니오 크뢰거』를 끼워
넣었다. 아마도 밤을 지새운 탓에 비행기를 타자마자 곯아떨
어지겠지만 그러므로 나는 그 책을 굳이 다시 읽기 위해 지
니고 가는 것은 아니었다. 그것은 그 속의 구절들, 이를테면
"내가 지금까지 이룩한 것은 아무것도 아니고 별로 많지 않
습니다. 아무것도 하지 않은 것이나 마찬가지입니다. 리자베
타, 나는 더 나은 것을 만들어보겠습니다—이것은 일종의
약속입니다. 지금 이 글을 쓰고 있는 동안 바닷물 소리가 내
게까지 올라옵니다. 그래서 나는 눈을 감습니다. 그러면 아

직 태어나지 않은, 그림자처럼 어른거리고 있는 한 세계가 들여다보입니다. 그 세계는 나에게서 질서와 형상을 부여받고 싶어서 안달입니다. 그들은 부디 마법을 걸어 자기들을 풀어 달라고 나에게 손짓하고 있습니다. 나는 이것들에게 큰 애정을 가지고 있습니다. 그러나 마음속 아주 깊은 곳에 있는 나 혼자만의 사랑은 금발과 파란 눈을 가진 사람들, 행복하고 사랑스럽고 일상적인 사람들에게 바쳐진 것입니다"라는 그의 약속을 지니고 가는 것이기 때문이었다.

나는 신 기자에게 문자메시지를 보냈다. "어쨌든 한 인간이 성장해가는 것은 운명이다."

나는 어서 H가 보고 싶었다.

※ 소설 제목에 쓰인 '글목'이란 말은 '글이 모퉁이를 도는 길목'이라는 뜻으로 작가가 지어낸 것임.

후기, 혹은 구름 저 너머

이른 새벽 잠에서 깨어납니다. 가끔은 빗소리에 깨고 또 가끔은 달빛에 깨고, 슬픈 꿈으로 깨고, 대개는 술기운에 깨어납니다. 간밤에 꾸었던 꿈속에 어지러운 사람들의 발자취가 묻어 있습니다. 한때는 기어이 기억하려고, 또 한때는 지워버리려고 애썼으나 이제는 그냥 놓아둡니다. 흘러가게 말입니다. 새벽, 거실로 나와 성모상 앞에 초를 켭니다. 초 하나에 불이 밝아질 때마다 아이들 이름과 그리운 사람들의 이름을 하나씩 불러봅니다. 봉헌하는 것이지요. 그리고 기도합니다. 오늘을 맡기는 것입니다. 언제부턴가 어제를 놓아버리려고 애썼고 내일은 떠올리지 않으려 합니다. 삶의 미로를 헤매고 있다고 느낀 후부터 훌륭한 분들의 글을 찾아 밑줄을 그으며 읽었는데 그분들이 그랬습니다. 결국은 지금, 결국은 여기, 그게 전부라고.

초등학교 1학년 입학식. 나는 처음으로 대강당이라는 곳에 들어갑니다. 강당 저 높은 곳에 '걷는 자만이 앞으로 갈 수 있다'라는 표어가 보였습니다. 약간 웃음이 나왔지요. 어떻게 저렇게 쉬운 말을 저렇게 큰 글씨로 써놓을 수 있을까, 싶어서요. 나는 의기양양하게 앞으로 걸어 나갔습니다. 정말이었더군요. 걷는 자만이 앞으로 간다는 것 말입니다.

첫 반을 배정받았습니다. 1학년 1반. 담임선생님은 지금 내 나이의 중년 여자 선생님이었습니다. 선생님은 우리를 돌아보더니 내 이름을 불렀습니다. 실은 많이 놀랐습니다. 어떻게 이 많은 아이들 중에서 저 선생님이 내 이름을 알고 있을까, 나는 엉거주춤 일어섰습니다.

나이가 한 살 어렸으나 다른 아이들보다 키가 뻘쭘 컸던 나는 그렇게 앞으로 불려 나갔습니다. 나중에 어머니에게 들으니, 초등학교 입학을 하기 전 간단한 면접시험에서 내가 어린아이라고는 믿을 수 없을 정도로 말을 잘하는 바람에 교무실의 선생님들이 그야말로 다 뒤집어지셨고, 그래서 입학식 날까지 내내 선생님들이 날 궁금해했다고 했습니다. 무슨 면접을 보았는지 내가 무슨 대답을 했는지 기억나지 않습니다. 하지만 훗날, 아주 훗날까지 생각해보았는데, 그것은 어떤 상징이었을까 싶었습니다. 사람들 사이에서 홀로 불려 일으켜 세워지는 것 말입니다. 난데없이 이름을 불리고 혼자만 세워지는 것, 거기에 내 의지, 내 의도, 내 뜻은 있을까…….

모르겠습니다. 아직 설익었던 내 인생은 있겠지요. 부름을 받았고 그리고 불려 일으켜졌던 내 존재가 그걸 다 수습하고 의미를 부여하기도 전에, 나를 바라보는 사람들의 시선 속에 다 드러나버리고 말았습니다. 사람들 사이에서 홀로 불려 일으켜지는 것은 가끔은, 아니 자주는 벌이기도 합니다. 어떤 사람들은 그걸 부러워도 하더군요. 뭐 사람은 모두 다 다르니까요.

중학교 입학식 날, 처음으로 여자들만 있는 학급에 들어가보았습니다. 출석부를 들고 오신 선생님께서 아이들을 둘러보더니 첫 일성으로 내 이름을 부르셨습니다. 내가 엉거주춤 일어서자 선생님께서 웃으셨습니다. "너로구나! 예비 소집일 날 기습적으로 본 시험을 전교에서 가장 잘 본 사람이!" 나는 우등생이긴 했지만 언제나 일등을 하는 그런 축은 아니었습니다. 그리하여 중학교 3년 내내…… 선생님들에게 총애받는 밥맛없는 아이가 됩니다. 다시금 숨을 수 없이 눈에 띄어버리고 만 것입니다. 사춘기를 심하게 앓던 저는 하루 종일 입 한번 열지 않고 지냅니다. 봄꽃이, 바람이, 비가, 낙엽이 번갯불처럼 가슴에 박혀와서 종일토록 서걱거리고 몸 뒤집고 소근거리고 나는 그것을 어쩌지 못합니다. 비가 오면 살갗이 쓰리고 꽃이 지면 울음이 차오릅니다. 바람이 불면 잠자리에 누워서도 바람 소리를 따라 머리칼이 나부끼는 것만 같았습니다. 말 한마디에 깊이 찔리고 온몸이 우박이라도 맞은 것처럼 멍투성이입니다. 그 멍투성이가 몸에 가시가 돋아 있습니다. 가시는 남을 찌르는 도구도 되지만 바람결에도 제 자신을 찌르는 도구이기도 합니다. 친구가 없습니다. 어쩌다 있어도 아이들 눈치 때문에 가끔씩 저를 멀리합니다. 저는 이해합니다. 나와 함께했다가는 미움을 받을 테니까 싶어서요. 유일한 낙은 성당에 가는 것, 혹은 밤마다 쓰던 기나긴 일기, 혹은 하루에 세 권씩 읽어치우던 문고본 소설들……. 아주 막연하게 시인이 되고 싶다는 생각을 합니다. 시인들은 외롭고, 외로워도 되는 사람들 같았습니다. 그러지 않다면 속으로 몰래 울음이 배인 그런 글들을 써서 저를 잠 못 이루게 할 리가 없을 테니까요.

어른이 되어서도 저는 여전히 혼자 있곤 했습니다. 혼자라는 사실에 익숙해지기까지 오랜 기간 유의미한 눈물이 흘러내렸겠지요. 이제는 혼자에 익숙해졌습니다. 아니 실은 자발적 혼자, 즉 고독을 사랑하고 있습니다. 실은 혼자가 아니면 잘 쓸 수 없습니다. 창작의 필수 요소라고 제가 꼽은 고통과 고독과 독서는 혼자만이 가능한 것입니다. 어떤 분이 청중에게 나를 소개하면서 말씀하셨습니다.

"외롭지만 자유로운 영혼이십니다."

누군가 대꾸했지요.

"자유롭기만 하시고 이제 외롭지는 마시지요."

아닙니다. 어떻게 자유로울 수 있겠습니까? 친구들에게 둘러싸여 있는데! 어떻게 외롭지 않을 수 있겠습니까? 자유, 하늘의 별처럼 빛나며 매달려 있는 그것을 얻어야 한다면 말이지요. 서른이 한참 넘은 어느 날 자유롭자고 마음먹었을 때, 남들이 이미 그렇다고 규정해놓은 딱지 더덕더덕 붙은 행복말고 오로지 나 자신을 위하여 살자고 마음먹었을 그때, 제

머릿속으로 피 젖은 맨발 같은 것이 떠올랐습니다. 그래서 「맨발로 글목을 돌다」 같은 제목도 생각해냈을 겁니다. 두려움에 몸이 떨렸지요. 지금도 그렇습니다.

아직도 저는 자유롭지는 않습니다. 아직도 집착하고 있습니다. 사람에 대해서 알량한 이름에 대해서 물건에 대해서 추억에 대해서 아니 그보다 더 상처에 대해서⋯⋯. 아직도 가끔 꿈속에서 나는 그 나날들로 돌아갑니다. 그가 내게 술병과 맥주잔을 집어 던집니다. 욕설을 퍼붓고 머리채를 잡아 벽에 찧습니다. 분노와 소음, 분노와 소음⋯⋯.

어리석은 사람들이 만나 합창을 하는 소리가 들려옵니다. 아무에게도 도움이 되지 못하고, 아무에게도 위로를 주지 못하고, 아무에게도 꿈꾸지 못하게 하는, 아아 평생을 지른대도 새싹 하나 틔우지 못하고 꽃 한 송이 피어나지 못하게 하는 어리석은 합창 소리.
꿈에서 깨어나 나는 일어나 앉습니다. 모든 것이 그렇게 꿈만 같습니다. 흘러가는 것입니다. 그리고 이제야 겨우 알게 되었는데 흘러가는 것은 좋은 것입니다. 최소한 이제 저를 불행하게 하는 사람 곁에는 가지 않습니다. 최소한 나를 비참하게 만드는 사람을 피할 줄도 압니다. 지나고 보니 가해자가 피해자였고 피해자가 가해자였습니다. 내 인생에게 쉬지 않고 제출했던 피해자 진술서를 돌려받았습니다. 이 사소하고 무시무시한 걸 깨닫고 나니 삶은 벌써 가을로 접어들고 막바지로 달려갑니다.

성경을 펴니 이런 구절이 보입니다. '꿈에서 깬 자가 꿈을 업신여기듯…….'

그제야 눈물이 핑 돌았습니다. 삶은 '낯선 여인숙에서 하룻밤'이었다가 '소란만 피우는 소리와 분노'였다가 '훅 하면 꺼지는 날숨'과 같다는 걸 불현듯 깨닫습니다. 꿈에서 깨어났으면 이제 세수를 하고 이를 닦고 어린것들의 하루 양식을 벌어야 합니다. 이것만이 이제 제게 남은 유일한 진실입니다. 한 줌의 자기 비하도 없는 이 진실 속에는 신실한 희망이 있습니다.

얼마 전 친구와 남녘 마을 작은 누옥을 방문했는데 집 어귀에 둥치가 잘려나간 매화나무가 있었습니다. 잘려나간 뭉툭한 둥치 옆으로 젊은 가지들이 뻗어나와 거기에도 흰 꽃들이 피었더군요. 우리가 그 집으로 들어서는 순간, 꽃잎들이 푸르르, 휘날렸습니다. 둘러선 사람들이 모두 숨 가쁘게 아, 하고 탄성을 올렸던 그 짧은 시간. 그 희다 못해 푸르스름한 찰나들이 유리 파편처럼 황홀히 내 가슴속으로 들어와 박혀버렸습니다. 그 매화꽃 잎들은 며칠이 지나고도 내가 꺼내어 보면 내 가슴속에서 다시 푸르르 날립니다. 마음이 멘톨을 바른 듯 싸합니다. 그 찰나는 너무나도 아름다웠기에 저는 상처를 입었을지도 모릅니다. 그러나 저는 이런 순간을 소중히 여기고 있습니다. 푸르르, 지는 흰 꽃잎들과 소슬바람의 찰나, 낡고 겸손한 지붕을 가진 시골집, 함께 걷던 친구들…… 저는 이런 것들을 오래오래 기억하고 싶습니다. 제게 글이란 그런 찰나를 잡고 싶은 헛된 몸부림 같은 것, 기적으로만 들려오는 구조대를 향해 절벽 끝으로부터 겨우 뻗은 안쓰러운 손가락 같은 것들입니다.

몇 해 전 키우던 강아지를 잃어버렸습니다. 마당에 그들을 풀어주고 외출을 했습니다. 언제나 외출 전에는 그 애들이 좋아하는 통조림을 하나씩 주곤 했는데 그날 내가 나가려고 하자 강아지 두 마리가 순식간에 그 통조림을 먹어치우고 애타게 나를 바라보았습니다. 평소의 나라면 말했을 겁니다. "안 돼! 한 번에 하나씩이야. 이건 규칙이라구." 그러나 그

날은 강아지들이 귀엽고 안쓰러워 나가다 말고 돌아와 하나
씩을 더 주었습니다. 그날 내가 긴 외출을 한 사이 열려진 대
문으로 그들이 나갔고 다시는 돌아오지 않았습니다. 그 후
로 오래도록 울며 그들을 기다릴 때 내 위안은 겨우 그 두 번
째 통조림이었습니다. 그마저 주지 않았더라면 견디기가 너
무 힘들었을 겁니다. 그날 이후 삶의 어귀에서 자주 멈칫하
며 생각합니다. 언제나 삶에게 두 번째 통조림을 주려고 합니
다. 내가 삶을 더 많이 사랑할수록 나는 이 지상을 더 잘 떠
날 수 있다는 것을 압니다.

가끔씩 생각하지만 의사로부터 한 달만 산다는 선고를 받
으면 글을 쓸 겁니다. 아주 천천히 하나의 원고를 완성할 것
입니다. 어떤 종류의 글이 될까요? 아마도 삶의 찬가, 가장
힘찬 삶의 찬가가 아닐까요. 나를 글이라고 불러준 삶……
삶이 나의 이름을 불렀을 때 나는 그것을 거역할 수 없었고
그리고 그 부름에 따라 일어섰습니다. 글은 나의 지옥이고 구
원이었습니다. 사랑이고 무지였으며 밥그릇이고 섹스였습니
다. 별이자 배설물이었고 감옥이고 보금자리였습니다. 나는
내가 쓴 글입니다. 아마도 생을 마치는 날까지 그러하겠죠.

앞으로 나가지 않으면 뒤로 물러서게 됩니다. 아마 나이가 들수록 중력은 더욱 세게 우리를 잡아당길 것입니다. 추락하는 것은 훨씬 쉽습니다. 나는 이제 구름 저 너머에 있다는 것들에 대해서는 생각하지 않습니다. 낮게 엎디어 다만, 타박거리며 이 지상의 흙길을 걸어가야 한다고 생각하고 있습니다. 가지 못할 이유는 수만 가지, 그러나 갈 수 있습니다. 가면 되니까요. 가끔 어리석은 제 모습을 보면 이제는 희미하게 웃어줍니다. 그래도 가는 겁니다. 어리석어야 애타도록 구하게 되니까요. 어리석은 날들이 없었다면 그토록 간절하게 한 술의 지혜를 구걸하러 고전과 경전과 성인 성녀들을 방문하지 않았을 겁니다. 오 복된 어리석음이여!! 입니다.

구하노니 부디, 남은 날들도 해바라기가 해를 향하듯, 강아지가 주인의 손가락을 향하듯 오직 지혜를 향해 정진할 수 있다면……

오늘의 해가 떠오르고 집 안은 따뜻합니다. 기도할 방석도 놓여 있습니다. 창 옆에 놓아둔 베고니아에서도 빨간 꽃이 피어나고 있습니다. 내 책상에는 내게 밥을 주고 아이들에게 학비를 주는 노트북이 놓여 있습니다. 오늘, 자판 위에서 내게 주어진 길을 걸어가려고 합니다. 걷는 자는 앞으로 갑니다. 기실, 일전에 이상문학상 수상 소감에도 적었지만, 단테가 말하고 마르크스가 다시 인용한 대로, "그들 ─그들, 매화꽃이 푸르르 지는 기억처럼 저를 아프게 하고 행복하게 하는 사람들─로 하여금 떠들게 하고, 저는 저의 길을 가는 것"입니다. 가면서 아주 가끔은 구름 저 너머를 남몰래 우러르기도 하겠지요. 몽고반점처럼 이미 제 영혼에 새겨져버린 그 푸르른 동경을 어찌 막을 수 있겠습니까마는.

　당신이 홀로, 이 책 속으로 걸어 들어가면 좋겠습니다. 이 글을 읽는 동안 당신의 가슴속으로 희디흰 매화가 푸르르, 푸르르 떨어져 내렸으면 좋겠습니다. 그러면 내가 아픈 것을 당신이 아파하고 당신의 아픔이 미세한 바람결에 내게로 전해져, 아마도 펼쳐진 책장 앞에 모두가 홀로일지라도 우리는 함께 따스할 것이니까요.

2017년 이른 봄
공지영

그녀의 고통은 소설이 된다

강유정

문학평론가, 강남대 국문과 교수

1. 에고 느와르(Ego Noir)

"나는 우리 시대의 예술과 문화와 상징적인 관계에 있던 사람이었다."

여기서 '나'는 오스카 와일드이다. 오스카 와일드는 동성애의 대가로 2년간 강제 노역형을 선고받았다. "내가 신고할 것은 나의 천재성뿐"이라며 위풍당당하게 뽐내던 그가 갇힌 것이다. 이후 발표한 『심연으로부터』는 지독한 에고이즘으로 비난받았다.

공지영의 새로운 소설집 『할머니가 죽지 않는다』에는 오스카 와일드가 여러 번 등장한다. 공지영은 왜 굴욕과 고통의

230

세월을 보내고 난 이후의 오스카 와일드를 인용했을까? 그뿐만이 아니다. 공지영의 소설 「맨발로 글목을 돌다」에는 여러 글들이 인용되는데, 공교롭게도 모두 다 극심한 고통과 깊은 연관을 가지고 있다. 아우슈비츠에서 살아남은 이후 그 고통을 기록한 프리모 레비와 빅터 프랭클, 성경의 「욥기」 등이 그런 예시라고 할 수 있다. 그중의 한 명이 바로 오스카 와일드이다. 그런데, 어떤 점에서 공지영은 오스카 와일드와 무척 닮았다. 그런 맥락에서 오스카 와일드의 문장의 '나'를 '공지영'으로 바꿔 읽어도 좋을 듯싶다. 공지영은 우리 시대의 예술과 문화와 상징적인 관계에 있는 사람이라고 말이다.

공지영의 소설에 등장하는 다양한 인용구들과 작가의 이름은 일종의 지표 역할을 해준다. 우선 이런 이름들은 공지영이 소설가이기 이전에 열정적인 탐독가이며 독자라는 사실을 보여준다. 공지영은 언제나 열렬히 '사랑'하는 작가인데, 책과 소설, 문자로 쓰여진 것들에 대한 애착은 탄복할 정도이다. 그런데, 이번 소설집에서 특히 밑줄을 그어둔 부분들, 그러니까 작가 공지영이 공들여 인용한 부분들은 대개 고통과 운명에 관한 것들이 많다. 공지영은 고통을 고민하고 운명을 탐색한 것이다. 그리고 그 결과물이 바로 이 소설집 『할머니는 죽지 않는다』이다.

프리모 레비와 빅터 플랭클은 그중에서도 좀 더 특별해 보인다. 두 작가는 모두 생존자이다. 그리고 기록자들이다. 두 가지 사실이 모두 중요하다. 지옥과 다르지 않았던 고통에서 살아남았다는 것도 너무도 존경할 만한 일이지만 그것을 기록에 남겼다는 사실을 주목해야 한다. 공지영은 그들의 생존에 경외를 표하며 무엇보다 그 기록에 공명한다. 이는 다른 말로 해서, 공지영이 그들처럼 자신의 '고통'으로부터 생존해 그것을 '기록'하기를 열망했다는 의미로 받아들일 수 있을 듯싶다. 문제는 비유의 대상이다. 도대체 어떤 고통이기에, 아우슈비츠 생존자와 홀로코스트의 증언에 공감과 위안을 얻는 것일까? 도대체 얼마나 아픈 상처이기에 이처럼 절박한 고통 가운데서 삶의 근원을 길어 올리는 것일까?

고통은 흔적을 남긴다. 공지영의 소설 속에 그 고통은 배신, 상처, 소송과 같은 단어들로 남아 있다. 드문드문 흩어진 상흔들은 소설이라는 문자의 밭에 뿌려져 그가 마주했을 상처의 구체적 형상으로 제공된다. 공지영은 고통을 직면하면서 그 가운데서 황홀한 슬픔과 간단없는 자멸을 경험한다. 그리고 그것을 써낸다. 격렬하게 누군가를 미워하면서 또 사랑하며 그런 자신에 염증을 내면서도 끝끝내 포기하지 않는다. 공지영은 이 진폭 가운데서 소설적 자아를 배태하고 성장시켜간다. 이 뜨거운 교호 작용을 통해 공지영의 서사적인 자아들은 또 다른 주체들로 확장되어간다. 그러니까 글을 쓰고, 글을 써야 하고 그럼으로써 마침내 글 가운데에 있는 서사적 주체가 마련되는 것이다.

아파하고, 미워하고, 외면하면서도 끌어안고, 살아가는 자. 자신을 깊이 사랑하고 그래서 상처받은 자신을 너무나 아파하는 자. 그는 바로 우리가 자아 혹은 내면의 주체라고 부르는 실은 누구에게나 존재하지만 쉽사리 대면하지 못하는 바로 그것이기도 하다. 공지영의 소설에 최근 우리 소설에 잘 드러나지 않는 '자아'가 매우 선명하게 감지되는 이유도 여기에 있다. 에고 느와르, 격렬하게 싸우고 피 흘리고 그러면서도 사랑하고 부둥켜안는 뜨거운 삶의 열정을 보여주는 장르가 느와르라면 공지영의 소설은 에고 느와르의 어떤 장르성을 개척하고 있는지 모르겠다.

2. 나르시시즘과 연민

지독한 나르시스트가 과연 타인을 사랑할 수 있을까? 오래된 신화, 나르시스의 이야기는 자기 자신만을 사랑한 자의 최후를 보여준다. 자신만을 사랑하는 자에게 허락된 세상은 죽음뿐이다. 그 사랑은 죽음 안에서만 되돌려 받을 수 있다.

자기 자신만 사랑하는 사람은 결코 타인을 사랑하거나 앓을
수 없다.

공지영의 소설 속 인물들은 자신을 무척이나 아낀다. 이
아낌은 그런데, 고통에 대한 일종의 치유라는 점에서 특별하
다. 가령 이런 식이다.

"운명이라는 것에 대해 생각했습니다. 왜 착한 사람들에게
만 저런 일들이 일어나는지 나는 그것이 알고 싶다고 생각했
었습니다. 그런데 이제 H를 만나고 나는 어렴풋이 알게 되었
습니다. 착한 사람들에게만 그런 일들이 일어나는 이유는 그
들만이, 선의를 가진 그들만이 자신에 대한 진정한 긍지로 운
명을 해석할 수 있기 때문이라는 걸 말이지요."

「맨발로 글목을 돌다」에는 어느 날 갑자기 평화로운 데이
트 중 납북당한 일본인 번역가 H가 등장한다. 소설의 화자인
'나'는 공지영으로 짐작되는데, '나'는 그런 그의 불행에 "운명
의 손톱에 생을 할퀴어본 상흔을 나누어 가진 오누이"와 같
은 연민을 갖게 된다. 이는 자신의 불행을 포충망 속에 포획
된 생명체의 그것처럼 느꼈던 오스카 와일드에 대한 공감으
로도 이어진다. 어떤 점에서, 공지영의 소설 속에 고통받고

있는 혹은 과거에 운명적 상처를 만났던 사람들은 공지영이라는 인물, 화자, 서술자의 페르소나라고도 할 수 있다. 그만큼 강렬한 연민과 공감을 경험하는 것이다.

그런데 주목해야 할 것은 공지영이 단지 자신을 연민하기 위해 동병상련의 인물들을 탐색하는 게 아니라 결국 타자를 사랑하기 위해 나의 상처를 보듬는다는 사실이다. 역설적인 고통의 재구성이자 반어적 나르시시즘이 형성되는 것이다. 말하자면 공지영의 소설 속 인물들이 스스로를 아끼고 또 자신의 상처에 무척이나 괴로워하는 까닭은 그저 자신을 사랑하기 위해서가 아니라 그렇게 다시 자신을 사랑함으로써 타인을 만나기 위해서이다.

타자의 삶에 특별한 공감을 느끼는 것, 그것은 소설가 공지영의 탁월한 능력이자 그녀의 소설 속 주인공들이 가진 끈질긴 생존력의 원천이다. 독서는 그런 사랑의 방식 중 가장 사적이며 친근한 영역 중 하나이다. 공지영 소설 속 인물 공지영은 사랑하기 위해 다른 이들의 소설을 읽고, 소설을 읽어 재현된 삶의 고통에 너무도 통렬히 공감하기에 더욱 사랑하게 된다. 그런 의미에서, 공지영에게 있어 글을 읽고 쓰는 것은 작가 공지영이 세상과 사랑을 나누는 매우 육체적인 행위이다. 납북된 경험을 가진 번역자 H에게 강렬한 동질감을 느끼는 것도 이러한 맥락 가운데 있다.

그래, 운명의 수용소 출신들은 서로를 알아본다. 그것은 그들의 마음속에 피로 새겨진 수인 번호일지도 모른다. 그것은 투명하나 이미 그 낙인을 찍혀본 사람들은 그것을 본다. 미묘한 냄새로 동족을 감지하는 것이다. 처음 만난 순간 그와 나는 그 냄새를 감지했던 것일까?

공감은 동물적이며 본능적인 힘이기도 하지만 다년간 지속된 독서를 통한 학습의 결과이기도 하다. "운명의 수용소 출신"을 알아보는 능력, 그게 바로 공감력이다. 정말 감동적인 부분은 그 공감력이 그러니까 많이 아파보았기에, 다른 아픈 사람들을 바라볼 때의 연민으로 확장될 때이다. 그렇게 깊은 크레바스를 가진 자아이기에 그 넓은 폭으로 다른 상처 입은 것들을 일일이 애정 있게 호명하며 끌어안는 것이다. 「부활 무렵」의 두 자매 순례와 정례에 대한 애정이 그렇다.

열세 살 무렵, 처음으로 남의 집 일을 하기 위해 정류장에서 버스를 기다리던 소녀는, "산다는 건 참 고되구나" 읊조린다. 열세 살, 고작 초등학교 6학년이 내뱉기에는 너무 어른스러운 한탄이지만 누구나 살다보면 그 말을 한 번쯤은 읊조리게 된다. 「부활 무렵」의 주인공인 순례는 평생 '갑'의 위치에서 살아본 적이 없다. 살기 위해 아니 살아남기 위해 해선 안 되는 일 외에는 모두 다 하고 살았다. 다만, 헐값에 자존심을 파는 일만은 없었다. 그런데 "아이들 때문에 아침부터 밤까지 죽도록 일하는데 아이들의 얼굴에는 날마다 그늘이 덮"이는 일들이 생긴다. 열심히 사는데 별 나아질 게 없다. 그런데, 그런 순례는 매우 놀라운 능력을 가지고 있다. 그것은 바로 약한 것들을 사랑하는 능력이다. 순례는 "힘이 없으면 도와주는 게 당연하지"라고 말한다. 그러니까, 깨고 나올 힘이 부족한 병아리라면 껍데기를 살짝 까주면 살 수 있고, 정말이지 어려워 허덕이는 사람이라면 한 번 도와주면 다시 일어설 수 있다. 그래서 순례는 곤달걀도 병아리로 부화시키고, 다친 부엉이도 날게 하고, 폐닭에게서 달걀도 얻어낸다. 그건 다른 힘이 아니다. 바로 아팠던 만큼, 아파본 만큼 타인의 아픔을 이해하는 능력. 약해봤기 때문에 약한 것들을 도와줄 마음을 먹는 능력, 그런 능력이 바로 죽음을 삶으로 변화시키는 동력이 되어주는 것이다.

순례는 말한다. "한번 살게만 해주면 어떻게든 사는 거거든. 한번 살게만 해준다면……"이라고 말이다. 어쩌면 공지영은 스스로에게 그리고 그의 책을 읽는 독자에게 같은 말을

해주고 싶은 것일지도 모른다. "한 번만 더 도와주면, 고통에
빠진 사람에게 단 한 사람의 손길이라도 있다면, 살 수 있다"
고 말이다. 그 한 사람의 힘, 그게 바로 공지영이 말하는 연민
의 힘이기 때문이다.

3. 외롭고 황홀한 '나'의 만화경

공지영의 이번 소설집엔 유독 실명 공지영이 자주 등장한
다. 자전소설이라고 볼 만한 요소들이 많은 것이다. 한편 자
신에 대한 평가도 꽤나 신랄하고 솔직하다. 모든 사람을 '왕
따'시킬 만큼 도도했던 소녀 시절은 결국 부끄러움의 일부로
재소환되고, 폭력으로 얼룩졌던 결혼 생활은 오히려 당당한
고백으로 기록된다. 소설 속 인물 '공지영'은 질투 날 만큼 당
당한 여자이면서 한편으로는 상처 입은 나약한 인간에 불과
하기도 하다.

어떤 관점에서 보자면, 소설집 『할머니는 죽지 않는다』는
'나'라는 자기 호명 안에 기거하는 수많은 정체성들을 끄집
어내 그것을 일일이 대질심문한 일종의 자기 심문이자 조서
라고 할 수 있다. 작가 후기 격인 「후기, 또는 구름 저 너머」
를 제외한 5편의 작품 중 무려 세 작품에 '공지영'이라 불리
는, 게다가 공지영의 실제 삶의 궤적과 거의 맞아떨어지는 인

물이 등장한다. 공지영이라는 인물이 가진 다양한 내면적 스펙트럼이 모두 전시된 공지영 전(傳)이라고 할 수 있을 정도이다.

다양한 공지영, 다양한 여자. 그런데, 어떤 점에서 이러한 서술 방식은 매우 동시대적인 문제들을 내포하고 있다고 할 수 있다. 가령, 다양한 자기 정체성 가운데서 오히려 총체적 자기 호명에 혼란을 느끼는 2000년대 이후, 성인으로서, 주체로서 세상을 살아가는 여성들의 어려움들 말이다.

90년대 초반만 하더라도, '엄마' 혹은 '아내'는 일종의 부과된 강제로 여겨졌다. 그래서 많은 여성 인물들은 호명의 감옥으로부터 뛰쳐나가 자아를 발견하고 주체의 자리를 마련하고자 했던 것이다. 타자로부터 부여된 이름으로부터의 이탈, 그 자체가 무척 중요했다. 그렇게 단일한 호명에서 이탈한 여성들이 마주한 다음 문제는 어떤 점에서 자기 호명의 혼돈이었다고 할 수 있다. 내 안에서 벌어지는 내적 갈등으로서의 자기 호명의 문제가 남겨진 것이다. 여자이자 딸로, 아내이자 엄마로 그러면서도 직장인이자 사회인으로 일인 다역을 소화해내야 하는, 심지어 완벽히 해내기 위해 전전긍긍하는 여성상이 어쩌면 자아를 발견하고 키워낸 여성들의 2000년대식 풍경일지도 모르기 때문이다.

소설 속 인물 공지영은 아이를 무척 사랑하면서도 일에 집중해야 할 때 꼭 아프다는 소식을 전하는 아들을 원망한다. 막내가 아픈 게 걱정되면서도, "막내가 왜 자꾸 아플까?" 원망하며 질문하는 것이다. 글 쓰는 공지영은 그런 아이를 원망하면서도 엄마 공지영이 되어 병원에 간다. 딸인 공지영이 "나 진짜 우리 엄마 딸 맞아?"라고 원망하면서도 엄마의 냉대가 곧 사랑의 증거임을 이해하는 것도 같은 맥락이다. 친구로서 원만한 결혼 생활을 유지하는 친구를 축복하면서도 한편 아예 다른 왕국에 살아가는 친구를 원망하기도 한다. 인물 공지영 그리고 내포적인 작가인 공지영은 변덕스럽고, 비일관적이고, 이기적이다. 하지만 사실, 우리도 그렇다. 우리는 우리가 기대하는 만큼 일관적이지 못하며 생각하듯이 솔직하지 않다. 말하자면, 공지영의 소설 속 공지영은 특수한 상황에 처한 '문제적 인물'이기도 하지만 적어도 어떤 보편성 안에서 우리와 전혀 다르지 않은 '개연적 인물'이기도 하다. 공지영은 그 보편성을 매우 사실적인 단어와 편안한 보통 수준의 언어로 그려내 보이는 데 탁월하다. 공지영이 자신을 들여다보고 그려낸 그 형형색색한 만화경이 결국 우리의 이야기로도 읽힐 수 있는 이유이다.

4. 작가적 매력과 인간적 매력

많은 작가들이 '고백'을 남겼다. 문학은 자의식의 결과물이기도 하지만 어떤 자아는 문학을 만나 발견되기도 한다. 루소는 자기 자신을 알기 위해 글을 썼다. 『고백』은 너무나도 자신을 사랑했지만 한편 미워하고 이해하기 힘들어했던, 그런 루소의 기록이다. 그는 그 자신을 탐구하기 위해 고백했다. 하지만 지금, 우리는, 루소를 이해하기 위해서가 아니라 바로 '나', 지금 여기를 살아가는 우리를 이해하기 위해 루소의 『고백』을 읽는다. 공지영의 소설도 마찬가지이다. 공지영의 소설집 『할머니는 죽지 않는다』를 읽다 보면 어떤 계기에 유년기의 순수성이 파괴되었는지, 어떤 순간 삶의 완전성에 대한 낭만적 희망이 사라졌는지를 발견할 수 있다. 그런데, 그건 단순히 생활인이자 한 여자인 공지영의 이야기로만 멈추지 않는다. 우리는 그곳에서 나의 유년성이 훼손되던 순간과 만나고 낭만적 희망이 휘발되던 순간과 재회한다. 그런 힘을 갖고 있다.

소설집 내내 공지영은 피고인이 되었다, 고소인이 되었다, 모두를 용서하는 관용을 베풀다, 아무것도 이해하기 싫어하는 고집쟁이가 되기도 한다. 소설을 읽으면 공지영에 대한 이야기 같지만 사실 그건 우리의 이야기이며 나의 이야기이기도 하다. 예컨대 단편 「할머니는 죽지 않는다」는 죽지 않는 할머니에 대한 기이한 환상소설처럼 보이지만 어떤 점에서는 현실에 대한 동화적 비유처럼 보이기도 한다. 기괴한 방식으로, 죽어야 함에도 불구하고 멀쩡한 사람들의 생명을 흡입해 살아가는 할머니의 모습은 어쩐지 후기자본주의 사회에 갑으로 군림하는 힘들을 떠올리게 한다. 불온한 생명력이 어마어마한 경제력이라는 후광과 그것의 실효성에 의해 유지되는 형편도 그런 연상을 자극한다. 「부활 무렵」의 자매가 공지영이나 우리와는 다르면서도 비슷해 보이는 것도 비슷한 맥락일 것이다.

공지영은 작가적인 매력과 인간적 매력의 간극이 매우 좁은 작가이다. 소설 「우리는 누구이며 어디서 와서 어디로 가는가」에서처럼 누군가 불쑥 공지영 작가에게 전화를 건다면, 그런 까닭일 터이다. '나'를 탐구한다는 것, 우리가 살아가다 어느 순간 잠깐 삶의 보폭을 바꿔, 나에 대해, 나라는 문제에 대해 고민하는 그 순간을 공지영이 글로 기록하고, 써내기 때문일 테다. 그러므로 결국 공지영의 소설은 단지 그만의 이야기가 아니라 나의 이야기처럼 읽힌다. 공지영 소설의 힘, 그것은 이 단단한 연민과 공감에서 빚어진다.

| 수록 지면 |

「월춘 장구(越春裝具)」
··· 《작가세계》, 2006년 여름호

「할머니는 죽지 않는다」
··· 《문학사상》, 2001년 8월호

「우리는 누구이며 어디서 와서 어디로 가는가」
··· 『올해의 문제소설』, 2000년: 2001년 제7회 21세기문학상 수상작

「부활 무렵」
··· 《창작과비평》, 2001년 여름호: 2002년 제27회 한국소설문학상 수상작

「맨발로 글목을 돌다」
··· 《문학사상》, 2010년 12월호: 2011년 제35회 이상문학상 수상작

할머니는 죽지 않는다

초판 1쇄 2017년 4월 3일

지은이 | 공지영
펴낸이 | 송영석

편집장 | 이진숙 · 이혜진
기획편집 | 박신애 · 정다움 · 김단비 · 정기현 · 심슬기
디자인 | 박윤정 · 김현철
마케팅 | 이종우 · 김유종 · 한승민
관리 | 송우석 · 황규성 · 전지연 · 황지현 · 채경민

펴낸곳 | (株)해냄출판사
등록번호 | 제10-229호
등록일자 | 1988년 5월 11일(설립일자 | 1983년 6월 24일)

04042 서울시 마포구 잔다리로 30 해냄빌딩 5 · 6층
대표전화 | 326-1600 **팩스** | 326-1624
홈페이지 | www.hainaim.com

ISBN 978-89-6574-612-6

이 도서의 국립중앙도서관 출판예정도서목록(CIP)은 서지정보유통지원시스템 홈페이지
(http://seoji.nl.go.kr)와 국가자료공동목록시스템(http://www.nl.go.kr/kolisnet)에서 이용
하실 수 있습니다.(CIP제어번호: CIP2017006503)